만나서 반갑습니다!
좋은 일이 생길 거예요!

가슴이 설레는 만남이 아니어도 좋습니다.
가슴이 떨리는 운명적인
만남이 아니어도 좋습니다.
만남 자체가 소중하니까요!

최보규 방탄리더사관학교 창시자

방탄리더사관학교 소개

세상에는 4대 사관학교가 있다. 육군사관학교, 해군사관학교, 공군사관학교, 방탄리더사관학교가 있다. 육군사관학교, 해군사관학교, 공군사관학교는 체계적인 시스템 속에서 군인정신 학습, 연습, 훈련을 통해 정예 장교(군 리더, 군사 전문가)를 육성하는 사관학교다.

방탄리더사관학교는 체계적인 시스템 속에서 방탄 리더십 25가지 시스템 학습, 연습, 훈련을 통해 정예 리더(방탄 리더, 방탄 리더십 전문가)를 양성하는 사관학교다.

누구나 리더가 된다. 하지만 방탄 리더는 아무나 될 수 없다. 누구나 방탄 리더가 될 수 있었다면 난 절대로 방탄리더사관학교를 선택하지 않았을 것이다.

방탄리더사관학교 신념

들어라 하지 말고 듣게 하자.
누구처럼 살지 말고 나답게 살자.

좋아하게 하지 말고 좋아지게 하자.
마음을 얻으려 하지 말고 마음을 열게 하자.

믿으라 말하지 말고 믿을 수 있는 사람이 되자.
좋은 사람을 기다리지 말고 좋은 사람이 되어주자.

보여주는(인기) 인생을 사는 것이 아닌
보여지는(인정) 인생을 살아가자.

나 이런 사람이야 말하지 않아도 이런 사람이구나.
몸, 머리, 마음으로 느끼게 하자.

-최보규 방탄리더사관학교 참모총장 -

방탄리더사관학교 교훈

잘난 리더보다는
진실한 방탄 리더가 되겠습니다.

대단한 리더보다는
좋은 방탄 리더가 되겠습니다.

멋진 리더보다는
따뜻한 방탄 리더가 되겠습니다.

유명한 리더보다는
필요한 방탄 리더가 되겠습니다.

사람만 좋은 리더보다는
삼성(진정성, 전문성, 신뢰성)리더십이 나오는
방탄 리더가 되겠습니다.

－최보규 방탄리더사관학교 참모총장 －

방탄리더사관학교 사명

"당신은 제가 좋은 사람이
되고 싶도록 만들어요."라는
마음을 들게하여
행동하게 만드는
방탄 리더가 되기 위해
솔선수범, 청출어람
하겠습니다.

-최보규 방탄리더사관학교 참모총장 -

방탄리더사관학교
BULLETPROOF LEADER MILITARY ACADEMY

방탄 리더십과

리더 사명감과	리더 기본기과	리더 태도과
리더십 식스펙(PT)과	리더 감정컨트롤과	리더 인간관계과
리더 소통과	리더 스토리텔링과	리더 스피치과
리더십 은퇴 준비과	리더 천재일우과	리더 7대 의무교육과
리더 자존감과	리더 멘탈과	리더 습관과
리더 행복과	리더 자기계발, 동기부여과	리더 재테크과
리더 방탄book기술력과	리더 책 쓰기, 출간과	리더 유튜버과
리더 강사과	리더 코칭과	리더 인재양성과

★ 《방탄리더사관학교 1》 ★

Class 1. 방탄 리더십과

- 1명의 방탄 리더가 10만 명을 변화시키고 먹여 살린다. 리더는 사라져도 방탄 리더십은 1,000년 간다! 리더의 삼성(진정성, 전문성, 신뢰성)을 업그레이드!

Class 2. 리더 사명감과

- 사명감은 스펙이다. 학습, 연습, 훈련으로 만들어진다.

Class 3. 리더 기본기과

- 리더의 Body(몸) 기본기, Head(머리) 기본기, Mind(마음) 기본기. 기본기는 그림자와 같다. 평생 함께한다.

Class 4. 리더 태도과

- 세상에서 가장 강력한 태도 스펙! 태도 스펙 학습, 연습, 훈련!

Class 5. 리더십 식스팩(PT)과

- 숨만 쉬어도 근손실(근육 손실), 숨만 쉬어도 리손실(리더십 손실) 앞서가는 리더는 리더십PT를 받는다.

★ 《방탄리더사관학교 2》 ★

Class 6. 리더 감정컨트롤과

- 리더의 감정이 태도가 되면 안 된다. 감정컨트롤 학습, 연습, 훈련

Class 7. 리더 인간관계과

- 리더는 천재지변 인간관계가 아닌 천재일우 인간관계를 해야 한다.

Class 8. 리더 소통과

- 소통에 답이 있는가? 정답은 답이 아니다. 해결책도 답이 아니다. 공감만이 답이다. 공감력을 키우는 방탄소통.

Class 9. 리더 스토리텔링과

- 리더에 스토리텔링(Storytelling)으로 함께 하는 사람을 스토리두잉(Story Doing)하게 만들어야 한다.
스토리텔링을 통해 스토리두잉(Story Doing)을 하지 않으면 스토리는 다 쓰레기 된다!

Class 10. 리더 스피치과

- Body(몸) 스피치, Head(머리) 스피치, Mind(마음) 스피치 학습, 연습, 훈련하는 방법 381가지!

Class 11. 리더 은퇴 준비과

- 평균 희망 은퇴 73세, 현실 은퇴49세 이다. 20대 은퇴 예정자? 30대 은퇴 확정자? 40대 은퇴 위험군? 은퇴십 골든타임!

Class 12. 리더 천재일우과

- 천재일우(千載一遇): 천 년에 한 번 만난다는 뜻으로 좀처럼 만나기 어려운 기회

★《방탄리더사관학교 4》★

Class 13. 리더 7대 의무교육과

- 직원은 5대 법정의무교육이 필수이고 리더는 7대 의무교육이 필수이다.

Class 14. 리더 자존감과

- 스마트폰은 쓰지 않아도 배터리가 소모되듯 리더 자존감 배터리는 숨만 쉬어도 소모된다. 리더 자존감 초고속 충전!

Class 15. 리더 멘탈과

- 리더 멘탈 7단계! 리더 순두부 멘탈, 리더 실버 멘탈, 리더 골드 멘탈, 리더 에메랄드 멘탈, 리더 다이아몬드 멘탈, 리더 블루다이아몬드 멘탈, 리더 방탄 멘탈.

★《방탄리더사관학교 5》★

Class 16. 리더 습관과

- 리더십은 이벤트가 아니라 습관이다. 리더십 습관, 꼰대십 습관

Class 17. 리더 행복과

- 리더 행복 심폐소생술! 리더 행복 초등학생, 리더 행복 중학생, 리더 행복 고등학생, 리더 행복 전문 학사, 리더 행복 학사, 리더 행복 석사, 리더 행복 박사, 리더 행복 히어로

★《방탄리더사관학교 6》★

Class 18. 리더 자기계발, 동기부여과

- 리더는 노오력 자기계발, 동기부여가 아닌 올바른 노력 자기계발, 동기부여를 해야 한다.

Class 19. 리더 재테크과

- 리더의 7가지 재테크는 선택이 아닌 필수다.

★《방탄리더사관학교 7》★

Class 20. 리더 방탄book기술덕과

- 수입 창출 6가지 시스템! 100세까지 지속적인 수입을 발생시키고 100세까지 현역을 유지시켜 준다.

Class 21. 리더 책 쓰기, 출간과

- 리더 자신 분야 삼성(진정성, 전문성, 신뢰성)을 올리

는 최고의 자기계발은 책 쓰기, 책 출간이다!

★《방탄리더사관학교 8》★

Class 22. 리더 유튜버과

- 리더는 유튜브가 아닌 나튜브를 해야 한다.

★《방탄리더사관학교 9》★

Class 23. 리더 강사과(무인 시스템)

- 리더는 프로 강사처럼 말(스피치), 표정, 행동이 나와야 한다.

★《방탄리더사관학교 10》★

Class 24. 리더 코칭과

- 리더 코칭 10계명(품위유지의무), 리더의 0순위 스펙은 코칭 능력이다.

Class 25. 리더 인재 양성과

- 인재는 오는 것이 아니라 만들어지는 것이다. 인재 양성 시스템이 없으면 인재는 리더를 떠나지만 인재양성 시스템이 있으면 인재는 리더와 100년을 함께 한다.

BULLETPROOF LEADER MILITARY ACADEMY

방탄리더사관학교
최보규 참모총장

지금처럼이 아닌 지금부터 살게 해주겠습니다.
때를 기다리는 사람이 아닌 때를 만들어가는
사람으로 변화시켜 주겠습니다.
세상에는 최보규 코칭전문가 보다
코칭을 잘 하는 사람 많습니다.
하지만 세상에서 최보규 코칭전문가 만큼
함께 하는 사람을
자립할 수 있을 때까지 케어해주는 사람은 없을 것입니다!

최보규 방탄리더사관학교 참모총장

최보규 대표

상담, 코칭, 강의, 컨설팅 문의
010-6578-8295

현] 방탄자기계발사관학교 창모총장
현] 강사야 대표강사
현] 자기계발아마존 CEO
현] 방탄book 출판사 대표
현] 방탄강사사관학교 코칭전문가
현] 사랑의전화 카운슬러
현] 방탄자기계발 유튜버
현] 최보규상(대한민국 노벨상)창시자

방 탄
동기부여

책150권 출간   상담 17,000회   코칭 13,000회   강의 경력 6,200회

Google 자기계발아마존   ▶YouTube 방탄자기계발   NAVER 방탄자기계발사관학교   NAVER   최보규

N 최보규

네이버 인물정보 등록 34만 명! (2016년 기준)
대한민국 1% 미만 "네이버 명예의 전당" 인물정보 등록!

전체   프로필   최근활동   도서

프로필   →

소속   방탄자기계발사관학교/방탄북
       (BOOK)출판사(대표)
수상   2016년 제1회 세계를 빛낸 천
       사상 대상
경력   방탄자기계발사관학교/방탄북
       (BOOK)출판사 대표
       방탄자기계발사관학교 대표
       2012.05~2016.06 사랑의전화 전화상담 자원
       봉사자
       2014.11 행복사관학교 대표
사이트 유튜브, 블로그, 네이버TV, 페이스북, 공식홈페
       이지
작품 ★ 도서 108건, 관련활동

종이책 150권, 전자책 250권 총 400권 무인 콘텐츠

24시간 무인 시스템

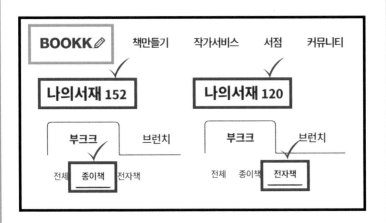

BOOKK✎ 책만들기 작가서비스 서점 커뮤니티

나의서재 152 나의서재 120

부크크 브런치 부크크 브런치

전체 종이책 전자책 전체 종이책 전자책

유페이퍼 [최보규] 검색어 콘텐츠 159

이번 생에 건물주는 힘들어도
온라인 건물주는 가능하다!
400층 온라인 건물주를 가능하게 만든 시스템!

방탄book기술력

방탄자기계발사관학교 ✅

아무나 방탄자기계발전문가가 될 수 있었다면 난 절대로 방탄자기계발사관학교를 선택하지 않았을 것이다.

방탄자기계발사관학교 홈페이지 무인시스템

방탄자기계발사관학교 소개
1,000,000원

구매하기

PPT로 책 쓰기, 책 출간
200,000원

구매하기

자신 분야 6가지 수입을 창출 방법
200,000원

구매하기

방탄 사랑 사랑 사용 설명서 사랑도 스펙이다
200,000원

구매하기

Google 자기계발아마존 | ▶YouTube 방탄자기계발 | NAVER 방탄자기계발사관학교 | NAVER 최보규

교육 실적

기업

삼성전자, 현대자동차, 한국전력공사, LG전자, 삼성생명보험, 포스코, GS칼텍스, SK네트웍스, 기아자동차, 현대중공업, 에쓰오일, SK에너지, 한국가스공사, LG디스플레이, GM대우, 교보생명, KT, SK텔레콤, 대한생명, LG화학, 롯데케미칼, 신세계백화점, 삼성물산, 삼성화재해상보험, 오얄뱅크, 대한항공, 삼성중공업, 현대모비스, 하이닉스반도체, 현대제철, 대우조선해양, 한진해운, 대우건설, GS건설, 현대건설, 한국수력원자력, 효성, LG상사, 현대상선, 현대해상화재보험, 대림산업, STX팬오션, LIG손해보험, LG텔레콤, 동부화재, 여천NCC, SK건설, 삼성테스코, 삼성SDI, 삼성토탈, 현대하이스코, 한국남부발전, 동국제강, 아시아나항공, 롯데건설, 포스코건설,한화, SK가스, ING생명, 위아,삼성테크윈, 대우차판매, 쌍용모직, 한국서부발전, 한국동서발전,신한카드, 현대미포조선, 르노삼성자동차, 현대산업개발, GS리테일, 대우증권, 신한지주금융, 삼성전자, 현대상호중공업, 우리투자증권, 비씨카드, 메리츠화재, 글로빈스, 한화석유화학, 삼성카드, 현대중공업, 로보트쇼, 씨티클럽증권, 한독약품, 이마트, 제일기획, 리츠칼튼, 유엔젤, 삼선개발, CJ, 코오롱, 오리온, GS마켓, 종로학원, 김영사, 아토, 코멕텍, 휴스틸, 블루클럽, 한국콘베어, 디시페로 신진화학 등 2000여 대중소기업

은행

KB국민은행, 우리은행, 신한은행, 산업은행, SC제일은행, 하나은행, 기업은행, 한국외환은행, 한국씨티은행, 농협, 수협, 축협 등

관공서

금융감독원, 검찰청, 국세청, 경찰청, 법무부, 식약청, 보건복지부, 교육청, 서울시, 각 구청, 서울시, 수원시, 인천시, 안동시, 제주시, 안양시, 거제시, 상주시, 안양위교육청, 한국과학기술평가원, 보훈교육연구원, 각 지역 교육연수원, 한국교육개발원, 농업기술센터, 농업기반공사, 국립공원관리공단, 국립특수교육원, 건설교통인재개발원 한국증권업협회 등 200여개 기관

병원

서울대병원, 서울아산병원, 삼성서울병원, 연세대세브란스병원, 가톨릭대 서울성모병원, 아주대병원, 고려대안암병원, 한양대병원, 중앙대병원, 선한목자정형외과, 순천향병원, 보훈병원, 봄빛병원, 이다치과, 소리이비인후과, 영산의료법인 등

대학교 특강 (교양, 최고경영자과정, 명사특강)

서울대, 연세대, 고려대, 중앙대, 한양대, 서강대, 포스텍, 카이스트, 경희대, 인하대, 이화여대, 조선대, 안동대, 건국대, 동아대, 충주대, 대전대, 청주대, 대진대, 한국산업기술대, 금오공과대, 아주대, 경기대, 숙명여대, 동국대, 순천대, 전남대, 영남대, 경기대, 강남대, 세종대, 카톨릭대, 경북대, 부경대, 창원대, 목포대, 광주여대, 한국해양대, 세명대, 충남대, 광운대, 울산대, 국민대, 제주대, 서울시립대, 단국대, 군산대, 경성대, 대구대, 동아방송예대, 동의과학대, 백석대, 백석예술대, 폴리텍대, 인천대 등 1500여개 대학교

22

최보규 방탄강사 창시자

저는 입으로 강의하지 않겠습니다.
제 삶으로 강의하겠습니다.
저는 가르치지 않겠습니다.
제 삶으로 가르치겠습니다.
최보규강사는 명강사, 스타강사가 아닙니다!
그래서 한 달에 15권 책을 보고 메모하며
강의 준비, 솔선수범 하고 있습니다!
최보규강사 보다 강의 잘하는 사람은 많습니다!
다만 최보규강사 만큼 학습자를
사랑하는 강사는 세상에 없을 것입니다!

최보규 방탄동기부여 신조

들어라 하지 말고 듣게 하자.
누구처럼 살지 말고 나답게 살자.
좋아하게 하지 말고 좋아지게 하자.
마음을 얻으려 하지 말고 마음을 열게 하자.
믿으라 말하지 말고 믿을 수 있는 사람이 되자.
좋은 사람을 기다리지 말고 좋은 사람이 되어주자.
보여주는(인기) 인생을 사는 것이 아닌
보여지는(인정) 인생을 살아가자.
나 이런 사람이야 말하지 않아도
이런 사람이구나 몸, 머리, 마음으로 느끼게 하자.

경력은 실력이 아닙니다! 최보규 강사는 경력만으로 강의하지 않습니다!
책을 읽고 메모하며 책을 출간 했다고 강의 내공이 좋은 건 아닙니다!
하지만 책 2,032권, 메모 7,626개, 습관 320가지, 책 100권 출간 내공으로
강의하는 강사에 강의 내공은 단언컨대 "세계 최고"일 것입니다!

15년 2,032권 읽음

15년 7,626개 메모

자기계발서 100권 출간

45년 방탄 습관 320가지

최보규 강사 11계명

1. 학습자에게 섬김을 받으려는 강의가 아닌 학습자를 섬길 수 있는 강의를 하겠습니다.
2. 오늘이 마지막 날인 것처럼 강의하고 영원히 살 것처럼 학습자에게 배우겠습니다.
3. 강의 있는 전날에는 최상의 컨디션을 유지 하기 위해 건강관리, 목 관리, 자기관리 하겠습니다.
4. 강의장 1시간 전에 도착해서 강의 마음가짐 준비하겠습니다.
5. 강의장 가장 먼저 도착 강의 끝난 후 가장 늦게 나오겠습니다.
6. 내 삶이 강의고 강의가 내 삶이 되도록 행동하겠습니다.
7. 힘들게 배운 강의 노하우들 아낌없이 주겠습니다.
8. 어떻게 하면 학습자에게 즐거움? 행복? 메시지? 감동? 희망? 사랑?을 줄 것인가에 항상 생각
   하며 공부하겠습니다.
9. TV보다 책을 더 보겠습니다. 10. 공인이라는 마음으로 솔선수범하겠습니다.
11. 강사의 자존심 아침에 나올 때 신발장에 넣고 나오겠습니다.

방탄강사 백신

★ 잘난 강사가 되지 않고 진실한 강사가 되겠습니다!
잘난 강사는 피하고 싶어지지만 진실한 강사는
곁에 두고 싶어집니다!

★ 대단한 강사가 되지 않고 좋은 강사가 되겠습니다!
대단한 강사는 부담을 주지만 좋은 강사는
행복을 줍니다

★ 멋진 강사가 되지 않고 따뜻한 강사가 되겠습니다!
멋진 강사는 눈을 즐겁게 하지만 따뜻한 강사는
마음을 데워 줍니다.

★ 유명한 강사가 되지 않고 필요한 강사가 되겠습니다!
유명한 강사는 환상을 주지만 필요한 강사는
배움, 성장, 지혜를 줍니다.

목차

★ 《방탄리더사관학교 5》 ★

- 리더십은 이벤트가 아니라 습관이다. 리더십 습관, 꼰대십 습관

34

방탄리더사관학교를 창시한 이유는 세종대왕님이 한글을 창시한 이유와 같다.

세종대왕님이 한글을 창시한 이유는 한 문장으로 말을 한다면 백성을 사랑해서다.

훈민정음 서문
우리나라의 말과 소리가 중국과 달라 한자와 서로 통하지 않는다. 그러므로 어리석은 백성들이 말하고 싶은 바가 있어도 그 뜻을 펴지 못하는 이가 많다. 내가 이를 불쌍히 여겨 새로 스물여덟 자를 만드노니 사람마다 쉽게 익혀 나날이 쓰기에 편하게 하고자 할 따름이니라.

최보규 방탄리더사관학교 참모총장이 방탄리더사관학교를 만든 이유를 한 문장으로 말을 한다면 "함께 하는 사람을 사랑하고 함께 잘 되고 잘 살자"라고 할 수 있다.

지금 3고(고물가, 고금리, 고환율) 시대, AI 시대, 챗GPT 시대, 숨만 쉬어도 200만 원 ~ 300만 원이 나가는 시대, 평균 희망 은퇴 73세, 현실 은퇴 나이 49세 시대... 점점 더 힘들고 어려워지는 시대다. 지금 상황을 극복하기 위해서는 일반 리더십으로는 힘들다. 강력한 리더십이 필요하고 노오력 하는 리더가 아닌 올바른 노력을 하는 방탄 리더가 절실하게 필요한 시대다.

나쁜 개는 없다. 나쁜 견주만 있다. 견주십!
나쁜 자녀는 없다. 나쁜 부모만 있다. 부모십!
나쁜 직원은 없다. 나쁜 리더만 있다. 리더십!

모든 것은 리더십에서 시작된다는 것이다. 지금 시대는 위치가 사람을 만드는 경우보다 위치가 사람을 망치는 경우가 더 많다. 리더 위치에서 끊임없이 리더십 학습, 연습, 훈련하지 않으면 리더를 망치고 리더와 함께 하는 사람들까지 망쳐버린다. 그 무엇보다 리더십은 체계적으로 배워야 하는데 현실은 어떤가?

20,000명 심리 상담, 코칭 하면서 알게 된 것은 체계적인 시스템 없는 인스턴트 리더 책, 인스턴트 리더 교육으로 인해 건강한 리더십, 현명한 리더십이 아닌 늘 그때뿐인 인스턴트 리더십에 중독되어 리더들의 몸, 머리, 마음까지 썩고 있다는 것이다.

리더십의 본질을 알아야만 노오력이 아닌 올바른 노력

을 할 수 있다.

운동의 본질은 헬스, 운동의 기본기를 배우지 않는 사람이 좋은 헬스장으로 옮긴다고 헬스, 운동 습관이 만들어지는 것이 아니다.

직장의 본질은 월급 날짜만 기다리는 사람이 직장을 바꾼다고 일에 대한 의욕이 생기지 않는다.

사랑의 본질은 평상시에 사랑받을 행동을 안 하는 사람은 사랑하는 사람이 생겨도 사랑받을 수가 없다.

인간관계의 본질은 내가 좋은 사람이 되기 위해 학습, 연습, 훈련을 안 하면 좋은 사람이 생겨도 금방 떠나간다.

자기계발, 동기부여 본질은 "어제 보다 0.1% 나은 사람이 되자."라는 태도로 꾸준히 자기계발, 동기부여하지 않으면 시간, 돈 낭비를 한다.

리더십의 본질은 경력, 나이를 내세우면서 시대에 맞는 리더십으로 업데이트하지 않으면 리더십이 아닌 꼰대십(리더병)이 나온다. 꼰대십(리더병)이 생기면 "위치가 사람을 만드는 것이 아니라 위치가 사람을 망쳐버린다."

본질의 힘

**본질을 모르면
시간, 돈, 인생 낭비가 되어
악순환이 반복된다.
본질을 어떻게 학습, 연습, 훈련할 것인가?**

 헬스, 운동의 본질

 직장, 일의 본질

 연애, 사랑의 본질

 인간관계의 본질

 자기계발, 동기부여의 본질

 리더십의 본질

더 늦기 전에 방탄리더사관학교 25가지 리더십의 본질인 방탄 리더 인재 양성 시스템을 통해 강력한 리더십인 방탄 리더십으로 거듭나야 된다.

방탄 리더 1명이 10만 명을 먹여 살리고 변화 시킨다.
리더는 사라져도 방탄 리더십은 1,000년 간다.
세계 최초 방탄리더사관학교 25가지 시스템 시작한다!

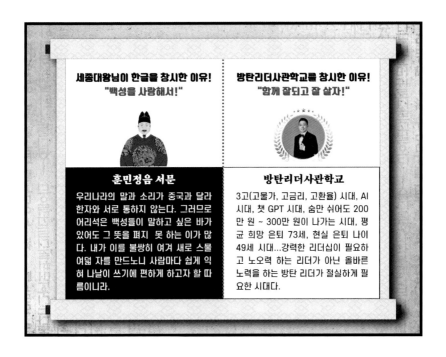

리더십은 이벤트가 아니라 습관이다. 리더십 습관, 꼰대십 습관

- 리더십은 이벤트가 아니라 습관이다. 리더십 습관, 꼰대십 습관

★ 리더십은 이벤트가 아니라 습관이다!

다음은 리더십 공식이 중요한 것이 아닌 리더 습관이 중요하다는 것을 깨닫게 해주는 스토리텔링이다.

리더십이란 대체 무엇일까? 리더십 강의를 할 때마다 공통적으로 느끼는 게 한 가지 있다. 많은 사람이 리더십을 거창하고 특별한 무언가로, 심지어 일종의 신화처럼 여긴다는 것이다 예컨대 이런 식이다.
리더십이 뛰어난 CEO가 직원들을 넓은 강당에 집합시킨다. 그리고 화려한 언변과 카리스마로 심금을 울리는 메시지를 설파한다(심지어 직원들을 감동시키기 위해 번갯불을 내던지는 연출 장면을 연상하는 이도 있었다.)
CEO의 연설에 감동받은 직원들은 CEO와 회사의 이름을 외치며 주먹을 불끈 쥐고 어떻게 최선을 다할 수 있을지 고민한다. 그리고 미친 듯이 업무에 매진해 엄청난 성과를 내기 시작한다. 이런 드라마까지는 아니더라도, 많은 사람이 리더십 하면 케네디대통령이나 잭 웰치혹은 스티브잡스 등을 떠올리며 그들의 자서전을 읽고, 그

들의 행동을 모방하려 애쓴다.

과연 유명 리더들을 따라 하려는 노력이 바람직한 것일까? 나는 20년 넘게 학교와 기업에서 리더십에 대한 강의와 연구를 하면서 성공한 CEO를 누구보다 많이 만나고 관찰해왔다.

이러한 경험을 통해 나름대로 내린 결론이 있다. 한마디로 표현하자면 성공한 리더가 되기 위해 필요한 리더십은 항상 가까이 있다는 것이다. 리더십은 늘 실천 가능한 것이어야 하며, 특별한 곳이 아니라 지극히 평범한 곳에 존재한다. 앞서 이야기한 대로, 신입 김 사원을 20년 후 김 상무로 키운 박 부장의 행동이 거창한 것인가? 결코 그렇지 않다.

리더십은 직원들을 위해 큰맘 먹고 하는 이벤트가 아니라 나도 모르게 반복적으로 실천하는 일종의 습관이다.

따라서 무엇을 하는가보다 얼마나 지속적이고 일관성 있게 실천하는지가 중요하다. 습관적으로 건강한 생활을 하는 사람은 한 달에 20kg을 줄여주는 기적의 비법 따위에 반응하지 않는다. 평소에 운동을 등한시하는 사람들이나 귀를 쫑긋할 뿐.

마찬가지로 리더십을 습관처럼 실천하는 사람은 누구누구의 리더십이나 리더십 완성 8가지 원칙 같은 문구에 현혹되지 않고 자신의 방법을 일관성 있게 실천한다. 그러니 지금부터는 '타인의 리더십'을 모방하려 하기보다는 리더십의 기본 원리를 익혀서 기초가 튼튼한, 그래서 흔들리지 않는 나의 리더십을 만들어가는 데 초점을 맞추기 바란다.

《사람을 남겨라》

리더십은 이벤트가 아니다 습관이다. 리더도 사람이다. 사람이기 때문에 자연스럽게 리더십은 습관으로 나온다. 20,000명 심리 상담, 코칭을 해보면 리더들이 착각하는 게 있다. 리더십과 습관은 별개로 생각한다. 단순히 말을 하면 리더십은 짧은 시간 안에 학습을 통해 익힐 수 있는 것이고 습관은 시간이 오래 걸리는 것이라는 고정관념이 있다.

지금부터는 리더십을 다시 정립을 해야 한다. 리더십 외에 사람이 하는 모든 것은 습관이다. 리더십 업데이트를 하려면 습관의 본질을 알아야 한다.

다음은 리더 놀음이 습관에서 나온다는 것을 깨닫게 해주는 내용이다.

'리더 놀음'을 조심하라!

내가 리더들을 만나면 가장 먼저 해주는 말이 있다. '리더 놀음'에 관한 것이다. 다른 말로는 '왕 놀음'이라고도 한다. '왕 놀음'이라고 하면 자기 얘기가 아니라고 우기는 사람들이 많아서 좀 더 완곡하게 '리더 놀음'이라고 하는 것뿐이다.

리더가 되면 이전에 없던 힘을 갖게 된다. 말 한마디에도 직원들이 고개를 끄덕이고 노트에 받아 적는다. 시덥지 않은 '아재 개그'에 직원들이 물개박수를 치며 반응해준다. 신기하지 않은가? 리더가 되기 전에는 절대 누리지 못했던 일종의 혜택이다.

어디 가서 이런 대접을 받을 수 있겠는가? 이는 충분히 감사하고 또 감사해야 할 일이다. 그런데 어리석은 리더는 이러한 힘을 남용하고 직원들 위에 군림한다.

리더 놀음의 13가지 행동

1. 구성원의 이야기를 시큰둥해하고 건성으로 듣는다.
2. 회의나 모임에는 항상 가장 늦게 도착한다.

46

3. 구성원을 손가락으로 오라 가라 하며 자기 자리로 불러댄다.

4. 구성원의 인사를 하면 받는 둥 마는 둥 한다.

5. 항상 무게를 잡고 인상을 쓰며 다닌다.

6. 구성원에게 말을 함부로 한다.

7. 구성원에게 왕년의 자기 자랑을 습관적으로 한다.

8. 도무지 뭘 새롭게 배우려 하지 않는다.

9. 회의 때 자기 말만 한다.

10. 구성원과 면담 중에도 오는 전화는 다 받는다.

11. 명백한 잘못을 하고도 사과하지 않는다.

12. 말을 모호하게 해서 뭔 말인지 헷갈리게 만든다.

13. 어디에 가든 자신이 중심이어야 하고 대접받으려 한다.

《부하직원이 말하지 않는 31가지 진실》

리더 놀음 13가지 행동이 습관에서 나온다.

습관의 본질은 습관은 바꾸는 것이 아니라 습관을 쌓는 것이다. 리더 놀음 13가지 행동 바꾸려 하지 말고 그대로 두고 리더 놀음 13가지 반대되는 습관을 만들어야 한다. "습관을 바꾸는 것이 아니라 쌓는다." 라는 습관의 본질을 1장에서 리더 습관 원리를 배우고 2장에서 리더 습관을 학습, 연습, 훈련할 것이다.

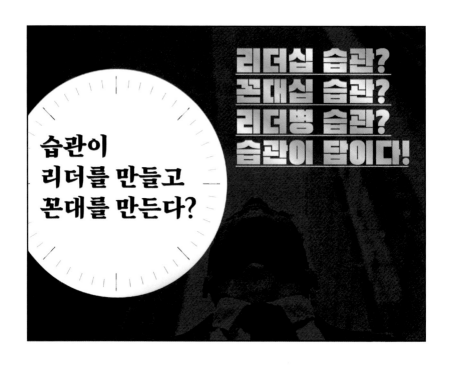

"스타 출신 명감독 없다"

실무자 시절을 돌아보면 모두가 리더십 전문가다. 윗사람의 리더십에 대해 이러쿵저러쿵하며 평론가 수준의 리더십 지식을 자랑한다. 그러나 막상 자신이 리더가 되어 보면 완전히 다른 세상을 만나게 된다. 스포츠에서 전해 내려오는 매우 유명한 명언이 한 가지 있다.

"스타 출신 명감독 없다"는 말이다. 화려한 경력과 팬을 거느린 스타 출신 선수가 감독이 되면 실패하는 경우가 많다는 의미다. 실무자의 역량과 리더의 역량이 완전히 다르기 때문이다. 2020 도쿄 올림픽에서 우리나라 여자 배구 국가대표팀을 이끌었던 스테파노 라바리니 감독은 선수 경력이 전혀 없는 감독으로 유명하다. 배구에 대한 해박한 지식과 리더십으로 4강의 기적을 만들어 낸 것이다. 실무 역량과 리더십 역량은 완전히 다른 것이라는 것을 증명한 매우 좋은 사례가 아닐 수 없다.

《처음 리더가 된 당신에게》

"스타 출신 명감독이 없다"라는 말이 왜 나왔을까? 단순히 말하면 리더가 기존에 가지고 있는 자신에게만 먹히는 습관으로 자신을 따르는 사람들의 심리, 성향, 성격, 습관은 무시하고 무조건 따르라고 하기 때문이다.

리더 자신 방법, 습관으로 결과를 냈기 때문에 당신들도 내가 했던 방법으로 하면 결과가 무조건 나올 거라고 강요하기 때문에 "스타 출신 명감독은 없다."라는 말이 생긴 것이다. 당연히 리더가 결과를 만들었던 방법, 경험, 시행착오, 대가 지불, 인고의 시간을 통한 습관을 무시할 수 없다. 하지만 세계인구 80억 명이 있다면 80억 성향, 성격, 습관이 각자 다르고 시대, 환경이 빠르게 변하고 있는 상황에서 리더 자신 경험, 방법, 습관으로만 리드하면 안 되는 것이다. 리드가 안되는 게 정상이다.

리더병의 가장 큰 병은 "그 쉬운 것도 못 하냐? 나만큼만 해라" 다. 나에게 쉬운 것이 누군가에게는 우주에서 가장 어려운 것일 수도 있다." "나만큼 만 해라! 이 말은 '신' 만이 따라 할 수 있는 말과 같다." 그래서 리더는 조직체 원들에게 자신의 방법만을 강요해서는 안 된다. 리더 자신의 방법을 시대 환경, 트랜드, 조직체 원들의 성향, 성격, 스타일에 맞게 변형을 시켜야 한다.

옛날 이스라엘에 다윗이라는 양치기 소년이 있었다. 어느 날, 블레셋 군대가 이스라엘로 쳐들어왔다. 블레셋 군대에는 골리앗이라는 거인이 있어서 이스라엘 군대가 당해 내지 못했는데 그때 아버지의 심부름으로 군대에 있는 형을 보러 간 다윗은, 이 사실을 알고 사울 왕에게 나아가 말했어요. "제가 나가서 싸우겠습니다. 허락해 주세요." 사울 왕은 다윗이 너무 어려서 망설였지만 결국 허락했어요.

다윗이 앞으로 나오자 거인 골리앗은 코웃음을 쳤어요.

"꼬마 녀석이 겁도 없이 나섰구나!"

"너는 칼과 방패로 싸우지만 나는 나의 신의 이름으로 싸우겠다!"

다윗은 시냇물에서 주운 차돌을 물매에 넣어 골리앗을 향해 쏘았다. 마치 고무줄 총을 쏘듯이 말이다.

쏜살같이 날아간 차돌은 골리앗의 이마에 똑바로 맞았고, 거인 골리앗의 거대한 몸은 힘없이 쓰러졌다. 이스라엘 군대는 함성을 지르며 좋아했고 블레셋 군대는 도망가기에 바빴다.

<지식백과>

다윗이 골리앗을 이긴 스토리텔링을 들으면 일반 사람들은 "작고 연약한 사람도 강한 상대를 이길 수도 있구나. 작은 고추가 맵구나. 상황이 어려워도 극복할 수 있구나."라는 메시지만 1초 느끼고 끝난다.

리더라면 다윗이 이긴 방법에 집착하지 말고 이길 수밖에 없었던 습관? 생활 속에서 사소하게 연마했던 물맷돌을 날리기 위한 준비, 학습, 연습, 훈련, 인고의 시간, 대가 지불, 시행착오를 보려 해야 한다.

한마디로 단 한 방에 물맷돌을 날려 골리앗을 이겼던 결과가 아닌 물맷돌을 날려 한 방에 맞출 수밖에 없었던 다윗의 평상시 어떤 습관이 있었는지를 궁금해 하며 의문점을 가져야 한다.
방탄 리더 습관3why?기법이 리더 통찰력을 업데이트 해줄 것이다.

– 방탄 리더 습관3why?기법
첫 번째 왜? 어떻게 자신보다 압도적으로 힘든 상대를 한 번의 물맷돌을 던져 이길 수 있었을까?
두 번째 왜? 평상시에 어떤 습관이 있었기에?
세 번째 왜? 지금 사소하게 무엇을 시작해야 힘들고, 어려운 사람, 상황이 닥쳤을 때 극복 할 수 있을까?

다음은 월드클래스인 손흥민 선수가 손흥민존을 만들 수 있었던 스토리텔링이다.

여러분들은 손흥민zone을 아시나요?

손흥민존은 어떤 영역일까.

수비수 입장에서 굉장히 애매한 위치다. 골대와 가깝지 않으니 슛을 하라고 놔둬도 실점 가능성이 낮은 지역이다. 달려가서 막을 경우 상대 공격수가 자신을 제칠 경우 바로 실점 가능성이 굉장히 높아지는 지역이다. 적극적으로 다가가서 압박 수비를 하기에는 애매하다. 따라서 수비수와 공격수 사이에는 공간이 생긴다. 다른 지역

보다는 공간이 꽤 생기니 공격수 입장에서는 자신의 리듬대로 슛을 하기 좋다. 하지만 골대까지 멀어 득점 가능성이 굉장히 낮다. 골키퍼 입장에서는 해당 구역은 약간 긴장감이 떨어지는 구역일 수 있다. 공격수가 슛을 하지만 골대 안까지 잘 안 들어오거나 와도 공이 약하다. 또 거리가 꽤 있으니 슛을 보고 반응해도 막을 수 있을 거 같은 구역이다.

아버지가 준 선물.
손흥민 아버지 손웅정씨는 국가대표 축구선수 출신으로 이 구역의 의미를 가장 잘 아는 사람이다. 이 구역은 수비수 입장에서도 골키퍼 입장에서도 굉장히 애매한 영역이므로 거꾸로 생각하면 훈련을 통해서 성과를 극대화할 수 있는 영역이다. 그래서 손웅정씨는 아들 손흥민을 위해서 좌우 500번씩 하루 1,000번씩 슛 연습을 함께 했다. 그 결과가 바로 손흥민 존이다. 그 덕분에 손흥민은 다른 선수들 도움 없이 온전히 혼자서 골을 만들어 낼 수 있는 자신만의 영역인 손흥민 존을 얻게 되었다. 그렇다면 왜 아버지는 손흥민 존을 만들어 주고 싶었을까?
온전히 혼자 힘으로 골을 만들어 낼 수 있다는 것
축구는 팀 스포츠이다. 혼자 아무리 잘해도 패스를 안 해주면? 골을 넣을 수 없다. 축구의 신 메시조차 팀을 옮긴 뒤 골이 급격히 줄어들지 않았는가. 유럽 무대에 아시아 축구 선수가 신입으로 들어왔다고 생각해보자. 기존 유럽축구 선수들은 신입 아시아 선수를 무시할 가능성이 크다. 아시아 축구 선수의 실력 자체를 의심할 것이고, 따라서 패스를 안 해준다.(실제 해외 진출 실패했던 선수들의 인터뷰를 살펴보면 패스를 못 받았다는 얘기를 자주 볼 수 있다). 당연히 유럽 선수들은 이렇게 말할 거다. 아 인종차별이 아니라, 그 친구 실력이 부족하니 패스를 안 한 거라고.

실력을 인정받아야만 패스를 받을 수 있다. 하지만 신뢰받지 못하는 축구 선수가 어떻게 패스를 받을 수 있을까. 패스를 못 받으니 -> 골을 못 넣고 -> 역시 저 친구는 실력이 없는 아시아 선수군 -> 다시 패스를 못 받게 된다. 그렇게 악순환 고리에 빠지고 -> 역시 못하네. 이렇게 될 가능성이 아주 크다. 거기다가 유럽 현지 언어도 못 하니 말도 잘 못 알아들으니 점차 소외되고 팀에 못 어울리니 시간이 지나도 신뢰를 쌓지 못하고 여전히 패스를 못 받는다. 그러다가 결국 퇴출된다. 손흥정씨는 이런 상황을 내다보고 악순환 고리를 끊을 수 있는 비장의 무기를 만들어 준 것이 아닐까.

<티스토리 Tap to restart>

다윗이 골리앗을 이길 수밖에 없던 습관 스토리텔링에서 언급 했듯이 생활 속에서 사소하게 손흥민존을 만들기 위한 500번~1,000번 슛 준비, 학습, 연습, 훈련, 인고의 시간, 대가 지불, 시행착오를 통해 손흥민존을 만든 습관이 있었다는 것이다. 리더여, 자신만의 000존이 있는가? 방탄 리더 습관3why?기법이 리더 자신 분야 000존을 만들어 줄 것이다.

- 방탄 리더 습관3why?기법

첫 번째 왜? 어떻게 손흥민 존을 만들 수 있었을까?
두 번째 왜? 평상시에 어떤 습관이 있었기에?
세 번째 왜? 지금 사소하게 무엇을 시작해야 내 분야 000존을 만들 수 있을까?

사람은 습관을 만들지만 습관은 인생을 만든다. 리더의 좋은 습관은 리더 자신뿐만 아니라 회사, 팀원, 조직체, 사람들 인생까지 바꿔 줄 수 있는 힘이 있다. 더 나아가 리더의 좋은 습관은 사회와 나라에 선한 영향력을 끼칠 것이다. 방탄 리더 습관을 업데이트가 그 무엇보다 중요하다. 지금부터 리더 습관 보호막 원리, 학습, 연습, 훈련을 통해 갱생하자!

사람은 습관을 만들고
습관은 인생을 바꾼다!

리더의 습관은
자신, 회사, 팀원, 조직체
사람들 인생까지 바꿔준다!

다음은 모든 사람에게 있고 자신을 평생 따라다니면서 괴롭히기도 하고 힘을 주기도 하는 것이 무언인지 깨닫게 해주는 스토리텔링이다.

나는 누구일까요?

나는 당신의 영원한 동반자입니다. 당신의 훌륭한 조력자이자, 가장 무거운 짐이기도 합니다. 나는 당신을 성공으로 이끌기도 하고 실패의 나락으로 끌어내리기도 합니다.

나는 언제나 당신이 하는 대로 따라갑니다. 그렇지만 당신이 하는 행동의 90%는 나로 인해 좌우됩니다. 나는 모든 위인의 종이자, 모든 실패자의 주인입니다. 당신은 나를 통해 발전할 수도 있고 실패할 수도 있으며, 당신은 나를 통해 모든 것을 얻을 수도 있고, 모든 것을 잃을 수도 있습니다. 나는 습관입니다.

<심리학자 윌리엄 제임스>

모든 시작은 습관에 답이 있고 모든 결과도 습관에 답이 있다. 인생을 한마디로 정리를 하면 습관에 답이 있다는 것이다.

20,000명 상담, 코칭 하면서 알게 된 리더 습관의 비밀!
세상의 수많은 습관 리더 공식이 있다. 그 리더 습관 공
식 중에 나한테 맞는 것은 잘 없다. 그럴 수밖에 없는
이유가 있다.

세계 인구 80억 명이다. 그렇다면 습관 공식 80억 개다.
나다운 리더 습관 공식을 만들어 가야 한다.

하지만 세상, 현실, 시중에 있는 수많은 리더 습관 공식
들, 유명한 리더 습관 공식들, 인기 있는 리더들의 습관
공식, 과학적으로 증명된 리더 습관 공식들이 마치 답인
것처럼 3혹(현혹, 유혹, 화혹: 화려함으로 혹하게 하는

것)시키고 세뇌를 시킨다.

그래서 그렇게 수많은 리더 습관 책을 많이 읽고 습관 공식을 보더라도 다 실패한다.

왜? 실패하는가? 운전으로 예를 들겠다. 세계 인구 80억 명이면 운전 습관도 80억 개의 스타일이 있고 나다운 운전 습관이 있다.

그런데 세상, 현실, 인지도 있는 리더들은 이렇게 말을 한다. 카레이서(성공 리더 공식) 운전 습관이 중요하다고 강요(세뇌)를 한다. "당신의 운전 습관은 필요 없고 틀렸다. 카레이서 운전 습관이 더 중요하다. 나다운 운전 습관은 중요하지 않다."

자기다운 운전 습관, 나다운 운전 습관이 있는데 인지도 있는 리더들 습관 공식, 성공한 리더들 습관 공식이 마치 답인 것처럼 무작정 따라 한다. 그래서 나다운 습관을 만들지 못하고 늘 포기를 한다.

우리가 운전을 배울 때 어떻게 하는가? 운전에 가장 기본적인 10%로만 배우고 90%는 운전 경험을 통해서 나다운 운전 습관을 만들어 간다. 습관도 똑같다.

누구나 한 번쯤 경험한 적이 있을 것이다.
나다운 운전 습관이 있다 보니 운전을 아무리 잘하는 사람의 차를 타더라도 멀미가 나고 어색하며 불안하다. 왜 그럴까? 자기만의 운전 습관, 스타일이 있기 때문에 멀미가 나고 불안하다. 그래서 단언컨대 리더 습관의 가장 중요한 것은 나다운 습관을 만드는 것이다.

다음은 자신이 지금까지 알고 있는 것들이 거짓일 수도 있기에 겸손하며 배움을 멈추지 말라는 것을 깨닫게 해주는 스토리텔링이다.

내가 아는 것이 정말로 아는 것인가?
송나라의 재상 마지절(馬知節)은 서화에 일가견이 있었

다. 그는 고금의 그림을 수집하여 감상하는 것을 낙으로 삼고 있었는데, 특히 좋아하는 그림은 당나라 때 대숭(戴崇)이란 화가가 그린 투우도였다. 그는 이 그림을 애지중지하여 행여 습기가 찰까봐 틈만 나면 마루에 펴놓고 말리곤 했다.

그러던 어느 날 한 농부가 소작료를 바치러 그 집에 왔다가 먼발치에서 그 그림을 보고는 피식 웃었다. 낫 놓고 기역 자도 모르는 무식한 농부가 그림을 보고 웃다니! 마지절은 화가 나서 그를 불러 세웠다.

"너는 대체 무엇 때문에 웃느냐?"

농부는 고개를 조아리며 대답했다.

"그 그림을 보고 웃었습니다."

"이 그림을 보고? 이놈아, 이 그림은 당나라 때의 대가인 대숭의 그림이야. 감히 네까짓 게 그림에 대해서 무얼 안다고 함부로 그런 말을 하는 것이냐!"

마지절이 불같이 화를 내자 농부는 겁에 질려 부들부들 떨면서 다음과 같이 대답했다.

"저 같은 무식한 농부가 뭘 알겠습니까? 하지만 저는 소를 많이 키워보았기 때문에 이상해서 그랬을 뿐입니다. 소들은 싸울 때 뿔로 상대편을 받으며 공격하지만 꼬리는 바싹 당겨 뒷 사타구니 사이에 끼워놓습니다. 그럴 때는 힘센 청년이 아무리 힘을 써도 그 꼬리를 끄집어낼 수 없을 정도입니다. 그런데 이 그림의 소들은 싸우면서도 꼬리가 하늘로 치켜 올라가 있으니 말도 되지 않아 웃었을 뿐입니다."

이 말을 들은 마지절은 얼굴을 붉히더니, 갑자기 그림을 찢어 버리며 이렇게 탄식했다.

"대승은 이름난 화가이지만 소에 대해서는 너보다도 더 무식했구나. 이런 엉터리 그림을 애지중지했던 내가 부끄럽다."

<따듯한 하루>

가짜 정보, 진짜 정보, 가짜 전문가, 진짜 전문가 등 구분하기 힘든 시대에 살고 있다. 지금 우리가 어떤 시대에 살고 있는가? 유명한 리더들의 습관 공식, 책, 유튜브, SNS...어마어마하게 쏟아지는 환경 속에 살고 있다. 습관 공식들이 너무나도 많다 보니 이 습관이 맞나? 저 습관이 맞나? 혼동되어 헷갈린다.

어떤 걸 벤치마킹해야 하고 얼마만큼 따라 해야 하는지 구분이 안 된다.

지금 시대는 인생의 공식들...홍수 속에 살고 있다. 홍수가 나면 먹는 물 식수가 더 없다. 그 환경 속에서 나에게 맞는 것을 어떻게 구분하면서 학습, 연습, 훈련하는 게 중요하다.

지금 시대 공식, 정보, 데이터가 얼마만큼 쏟아지는지 피부로 느끼게 해주겠다. 지구상에 모든 모래알 수가 얼마인지 아는가? 계산할 수 없는 상황인데 그걸 계산한 사람이 있다. 40제타바이트다. 인류가 시작에서 ~ 2003년까지가 3000년 정도 된다고 한다. 그동안 쌓였던 데이터가 5엑사바이트다.

2017년에는 3,000년 동안 쌓였던 5엑사바이트가 하루 만에 쌓인다. 2019년에는 1분 만에 쌓이고 2020년에는 10초면 쌓인다. 그럼 현재 2023년에는? 상상에 맡기겠다.

한마디로 말하고 싶은 팩트는 몇 초만 해도 알고 있던 것들이 오류가 나고 가짜일 수도 있다는 것이다.
1초~10초만 해도 기존에 알고 있는 것들이 틀릴 수도 있다는 것이다. 이런 환경인데 90%의 사람들이 유명한 사람들, 인지도 있는 사람들의 성공, 습관 공식을 7:3으로 맹신 하고 있는 안타까운 현실이다.

스마트폰 시대 습관 공식이 너무 많아 더 헷갈린다?

지구상의 모든 모래알 수는 얼마일까? 40제타바이트

3000년 전 ~ 2003년 까지 5엑사바이트

YB: 요타바이트
ZB: 제타바이트
EB: 엑사바이트
PB: 페타바이트
TB: 테라바이트
GB: 기가바이트
MB: 메가바이트
KB: 킬로바이트

스마트폰 시대 습관 공식이 너무 많아 더 헷갈린다?

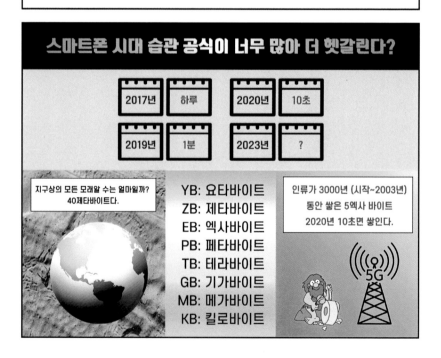

| 2017년 | 하루 | 2020년 | 10초 |
| 2019년 | 1분 | 2023년 | ? |

지구상의 모든 모래알 수는 얼마일까?
40제타바이트다.

YB: 요타바이트
ZB: 제타바이트
EB: 엑사바이트
PB: 페타바이트
TB: 테라바이트
GB: 기가바이트
MB: 메가바이트
KB: 킬로바이트

인류가 3000년 (시작~2003년)
동안 쌓은 5엑사 바이트
2020년 10초면 쌓인다.

5G

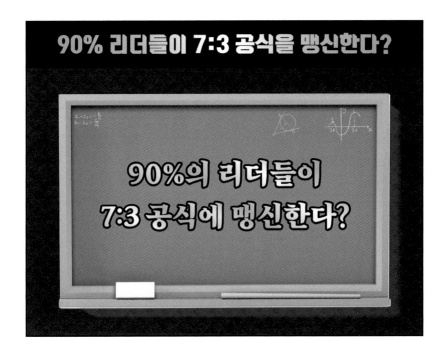

70% 뜻은 유명한 리더들, 인지도 있는 리더들이 말하는 공식 열 개 중에 70%인 7개를 따라 한다는 것이다. 90% 리더들은 나머지 30% 시행착오, 대가 지불, 인고의 시간을 통한 경험을 쌓고 있다. 3:7이 아닌 7:3으로 하고 있으니 대부분 리더가 나다운 리더 습관을 쌓지 못하고 "해봤는데 안 돼, 이제 안 해"라는 태도로 자신의 변화, 성장, 미래를 포기하는 리더들이 많아졌다.

유명한 리더 습관 책, 유명한 리더 습관 공식, 성공한 리더들의 습관 공식들은 그 리더들이 살아온 시행착오,

대가 지불, 인고의 시간과 수많은 경험들이 합쳐진 결과
물의 공식이기에 무작정 따라 하는 건 어렵다는 것이다.
무작정 따라 할 수밖에 없는 사람의 심리다. 만들어져
있는 것을 따라 하는 게 쉽기 때문이다. 항상 쉬운 쪽에
는 변화, 성장, 배움이 없다는 것을 명심해야 한다.

3:7공식! 30% 유명한 리더, 성공한 리더가 말하는 공식
10가지 중에 30%인 3개만 벤치마킹하는 것이다.

나머지 70%는 시행착오, 대가 지불, 인고의 시간을 통
해서 자기의 경험을 누적시켜야 한다. 이것이 나다운 방
탄 리더 습관 쌓기 공식이다.

세상의 모든 것은 인간의 심리인 고정관념, 틀, 선입견, 편견이 있다. 습관에도 고, 틀, 선, 편이 있다.

20,000명 심리 상담, 코칭 하면서 알게 된 것은 대부분 사람들이 고, 틀, 선, 편 개념을 잘못 알고 있다.

대부분 사람들은 고, 틀, 선, 편 개념을 "기존에 알고 있는 것을 다 지워버리고 없애버리고 무시하고 새로운 것을 받아들이고 새로운 것을 배우자" 이렇게 알고 있다.

고, 틀, 선, 편 본질은 기존에 알고 있는 것은 그대로 두고 새로운 것을 융합, 플러스하는 것이 고, 틀, 선, 편 본질이다.

기존에 알고 있는 것들을 어떻게 배웠는가? 힘들게 배웠다! 기존에 알고 있는 공식에 플러스할 수 있는 공식을 알려주겠다. 집중!

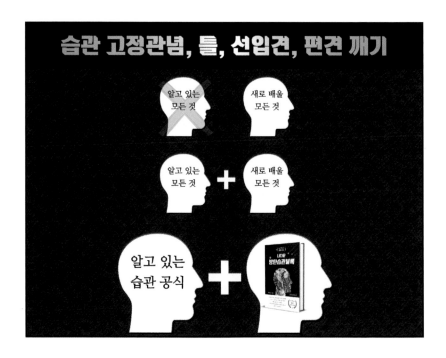

대한민국 5,200만 명이 습관을 잘못 알고 있는 게 또 있다. 습관은 바꾸는 것? 성격은 바꾸는 것? 스피치는 바꾸는 것? 1,000% 틀렸다.

그렇게 알고 있으니 습관, 성격, 스피치 바꾸는 게 어려운 것이다. 어려운 방법을 하고 있으니 당연히 안되는 게 당연하다. 첫 단추부터 잘못 끼고 있으니 다 어렵게 느껴지는 거다.

이제는 바꾸는 것이 아니라 쌓는다. 쌓아 간다! 라고 외우면 된다.

습관을 바꾸는 게 아니라 쌓는 것

성격은 바꾸는 게 아니라 쌓는 것

스피치는 바꾸는 게 아니라 쌓는 것

20,000명 심리 상담, 코칭, 2,000권 습관 책 독서, 45
년간 습관 320가지 쌓으면서 알게 된 습관의 비밀! 단
언컨대 습관이 왜 바꾸는 것이 아니라 쌓는 것인지 알
게 해주겠다.

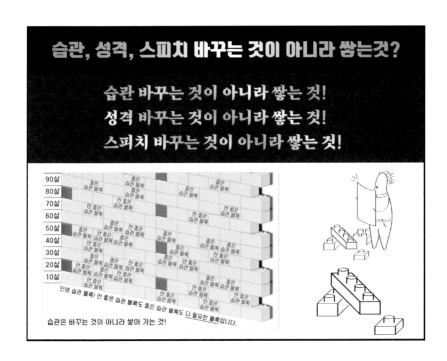

★ 하루 중에 습관적이지 않은 행동 5%, 습관적인 행동 95%

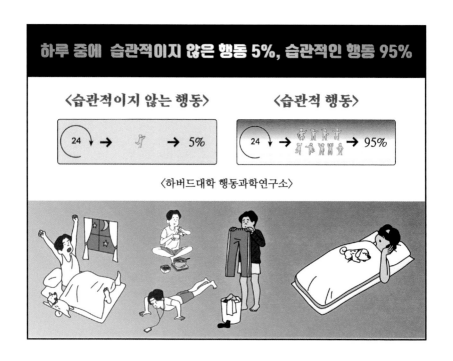

한 사람이 하루에 하는 행동에서 5%만 습관적이지 않은 행동이고 나머지 95%는 습관적인 행동이다.

단순하게 생각해 보면 경제적인 부분을 제외한다면 습관적인 행동 95%가 삶의 질을 좌지우지한다.

아침에 눈 뜨고 잠자는 시간까지 모든 것이 습관적으로 행동한다.

95%가 습관적인 행동이기에 습관이 답이고 인생 답이

습관에 있다.

자존감이 낮은 리더들은 자존감이 낮은 습관을 하고 있고 자존감이 높은 리더들은 자존감이 높은 습관을 하고 있다. 우울한 리더들은 우울한 습관을 하고 있다. 항상 부정적인 리더들은 부정적인 습관을 평상시에 많이 한다.

긍정적인 리더, 행복한 리더들은 긍정적인 습관, 행복한 습관을 평상시에 많이 하기 때문에 행복한 것이다.

습관을 현미경으로 들여다보면 돈 쓰는 습관, 태도 습관, 자존감 습관, 터닝포인트 습관, 자신감 습관, 행복 습관, 사랑 습관, 우울 습관...자신이 살아가면서 자신의 모든 것들이 습관으로 만들어진다.

★ 포노사피엔스 시대 진보다 습관 만들기가 더 어려운
이유?

지금 포노 사피엔스 시대에 살고 있다.
'포노사피엔스(phonosapiens)'는 '스마트폰(smartphone)'
과 '호모 사피엔스(homo sapiens: 인류)'의 합성어로,
휴대폰을 신체의 일부처럼 사용하는 새로운 세대를 뜻
한다.

<국어사전>

스마트폰 없던 10년 전보다 습관을 쌓는 자료, 정보, 공식이 많아졌고 접하기 쉽고 더 좋은 환경인데도 습관 쌓기가 힘들어졌다.

왜 그럴까?
습관 책 2,000권을 읽고 20,000명 심리 상담, 코칭을 하며 자자자자멘습긍 강의, 코칭을 하면서 알게 된 것이 있다. (자자자자멘습긍: 자존감, 자신감, 자기관리, 자기계발, 멘탈, 습관, 긍정)

자신이 만들고 싶은 습관, 쌓고 싶은 습관에 집중해야 하는데 안 좋은 습관을 바꾸는 데 집중을 하고 있다.

안 좋은 방법을 하고 있으니 안되는 게 당연한 거다. 수십 년 동안 만들어진 습관이다. 안 좋은 습관이 되어버렸다. 굳은살처럼 굳어버렸다.

몇십 년 동안 안 좋은 습관이 만들어졌는데 1개월 만에 1년 만에 2년 만에 바꾸고 싶다? 욕심이다.
습관마다 시간이 다르지만 좋은 습관을 쌓으려면 10배의 시간을 더 투자해야 한다.

기존에 가지고 있는 안 좋은 리더 습관, 좋은 리더 습관은 그대로 두고 앞으로 만들고 싶은 습관, 쌓고 싶은 리더 습관에 집중해야 한다.

100% 성공 하는 담배, 술 끊는 습관 쌓기?

N⊘

**성공률 99%
금연하는 방법**

100% 담배, 술 끊는 방법?
사소하고, 작은 습관을 만든다!
하지만 아무나 하지 않는다!
1개 줄이기 습관 쌓기 [21일 뒤 2개 줄이기]
1잔 줄이기 습관 쌓기 [21일 뒤 2잔 줄이기]

예를 들겠다. 필자는 술, 담배를 15년 전에 다 끊었다. 담배 피우는 습관이 쌓였고 술 마시는 습관이 쌓였다. 담배를 '한 번에 안 피우는 습관'을 쌓는 것이 아니라 '작게 사소하게 한 개비를 안 피우는 습관'을 쌓아가야 한다. 대부분 사람은 어떻게 하는가? 하루에 담배 1갑씩 피웠던 사람이 갑자기 담배를 안 피우려고 한다. 한 번에 안 피우는 습관을 쌓으려고 하면 몸에 무리가 생길 수 있고 몸에 좋지 않으며 더 어렵다.

하루에 한 갑을 피우는 사람이라면 1갑 20개비에서 19개비를 피우는 것이다. 한마디로 1개비를 덜 피우는 습관을 만드는 것이 핵심이며 1개를 안 피우는 습관을 쌓는 것이다.

바꾸고 싶은 그 습관과 너무 동떨어지는 습관을 쌓으면 안 된다. 비슷하고 연관된 습관을 사소하게 시작해야 한다. 술을 하루에 1병 마신다면 소주 1병에 7잔이다. 1잔을 줄이는 습관을 먼저 쌓는 것이다. 누구나 할 수 있지만 아무나 습관을 쌓지 못한다.

자신의 미래를 볼 수 있는 방법은 지금 하고 있는 습관을 보면 알 수 있다. 과거는 바꿀 수 없지만 지금의 습관으로 리더의 미래를 바꿀 수 있다.

방탄 리더 습관 블록을 학습, 연습, 훈련하기 위한 3why?기법!

대중 매체, 유튜브, SNS, 좋은 글, 좋은 사진, 좋은 영상들은 하루에도 어마어마하게 본다.

"감동 받았어! 울림 받았어! 심쿵! 꼭 해봐야지! 메시지 너무 좋다! 너무 공감 되었어! 꼭! 실천 해봐야지!" 그런데 순간 1초 느끼고 돌아서면 다 쓰레기가 되어버린다.

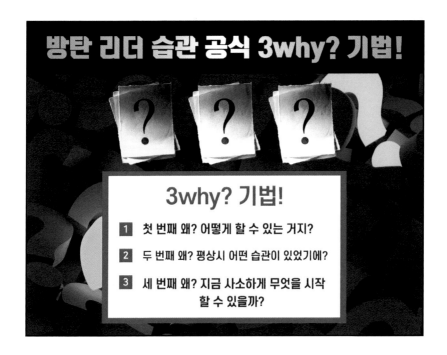

감동, 울림, 메시지를 쓰레기로 만들지 않고 바로 실천할 수 있게 동기부여 습관으로 만들 수 있는 공식이 방탄 리더 습관 목록 3why?기법이다.

첫 번째 왜? 어떻게 할 수 있는 거지?
두 번째 왜? 평상시에 어떤 습관이 있었기에?
세 번째 왜? 지금 사소하게 무엇을 시작 할 수 있을까?

리더 습관 보호막 학습, 연습, 훈련에서 1,500권을 본 습관 책에서 발췌한 스토리텔링을 듣고 순간 감동을 받고 느끼며 끝나는 것이 아니라 3why?기법 공식을 대입해서 바로 리더 생활 속에서 실천해야 하는데 쉽지가 않다. 좀 더 쉽게 벤치마킹할 수 있도록 필자의 181가지 습관 스토리텔링을 통해 자신의 습관과 접목을 시켜 실천 동기부여를 할 수 있게 해줄 것이다.

\#. 181가지 습관은 <나다운 방탄습관블록> 책이(2021년) 나오기 전이다. 320가지 습관은 2023년 까지 쌓은 습이다. 2024년은 습관 381가지

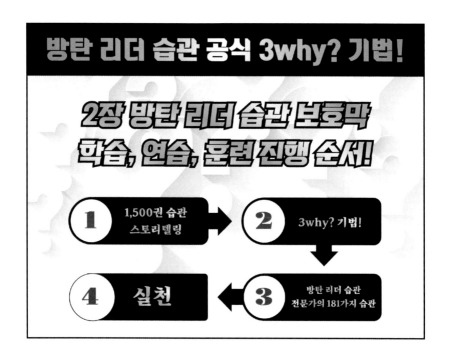

습관이 어려운 이유는 습관의 고정관념을 깨지 못해서다. 대한민국 5,200만 명 중 5,200만 명이 가지고 있는 습관 고정관념은 습관은 바꾸는 것이라고 알고 있다. 500% 틀렸다!

- 상담 스토리

선생님 제가요! 늘 작심삼일로 끝나는 제 모습을 보면 이렇게 참을성이 없나 싶고 자괴감이 들어 자존감이 바닥을 칩니다. 안 좋을 습관을 바꾸고 싶은 게 있는데요. 어떻게 하면 빠르게 안 좋은 습관을 바꿀 수 있을까요? 선생님 도와주십시오!

단순하게 말을 하겠다. 안 좋은 습관이 30년 동안 만들어졌다면 30년이 걸릴 거라고 생각하고 차근차근 꾸준히 해야 한다. 하지만 평균적인 사람들의 심리는 만들어진 세월, 시간은 무시하고 한 달 두 달 안에 안 좋은 습관을 바꾸려고 한다.

당연히 그렇게 바꾸는 사람도 있다. 대한민국 5,200만 명 중에 한 3명? 있을까 말까다.

3가지 예시를 들겠다.

첫 번째 30년 동안 길든 습관을 바꾼다.

두 번째 30년 동안 길든 습관은 그대로 두고 좋은 습관을 만든다.

세 번째 지금 자신의 안 좋은 습관 블록, 좋은 습관 블록 있는 상황에서 앞으로 만들고 싶은 좋은 습관 블록을 쌓는다.

습관 아인슈타인 필자가 직접 해보고 20,000명 심리 상담, 코칭 하면서 시간과 돈 낭비를 아껴 주는 것이 세 번째라는 것을 알게 되었다. 두 번째 만든다? 와 세 번째 쌓는다? 는 다른 것이다. 만든다는 것은 기존의 것과 다른 습관을 만드는 것이고 쌓는다는 것은 기존의 것과 연관된 습관을 쌓는다는 것이다.

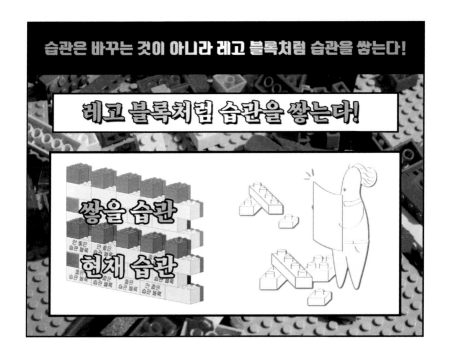

레고 블록으로 예를 들겠다. 색은 달라도 구멍 2개 있는 블록에 구멍이 3개 있는 것을 꽂으면 안 된다. 중간에 공간이 생겨 버리면 튼튼해지지 않는다. 같은 블록끼리 쌓아야 튼튼하듯 습관도 쌓고 싶은 비슷한 습관을 쌓아야 한다. 예) 담배 하루 1갑(20개비)을 피운다면 담배를 안 피우는 습관을 만드는 것이 아니라 19개비 피우는 습관을 쌓고 19개비 습관이 익숙해지면 18개비 작게, 사소하게 연관된 습관을 쌓는 것이다.

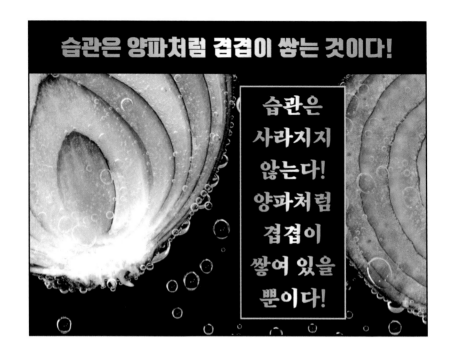

앞으로 좋은 습관 블록에 집중하고 쌓다 보면 어느 순간에 안 좋은 습관을 안 하고 있다는 것이다.
한마디로 좋은 습관에 묻혀 버린다. 양파처럼 겹겹이 좋은 습관 블록을 계속 쌓아야 한다.

방탄 리더 습관 블록에서 강조! 강조! 하는 것이 기존의 안 좋은 습관을 그대로 두고 앞으로 쌓고 싶은 연관된 습관에 집중을 해야 한다.

20,000명 심리 상담, 코칭 하면서 알게 된 것 중 하나는 사람들이 잘못 알고 있는 또 다른 습관의 개념이 있다.

"3개월 꾸준히 하지 못했어!" "습관을 못 만들었어!"

"에잇!" "다음부터 안 해!" "지금 만드는 습관 포기 할거야! 습관 안 만들어!"

다음은 습관을 만들어 가는데 뇌가 어떻게 받아들이는지 깨닫게 해주는 내용이다.

우리의 뇌는 새로운 것을 접하게 되면 먼저 거부감을 나타나게 됩니다. 그것의 거부감을 익숙함으로 바꾸기 위해서는 기간이 필요합니다.

그 변화를 날짜별로 정리하면...

3일차: 뇌에서 느끼는 거부감이 최고조. 1차 고비.

[작심삼일이라는 말이 생기게 된 원인]

7일차: 3일차를 극복한 후 다시 찾아오는 2차 고비.

14일차: 7일차를 극복한 후 다시 찾아오는 3차 고비.

21일차: 마지막 고비.

21일까지 성공을 한다면 일단 우리의 뇌를 설득시키는 것에는 성공한 것입니다.. 하지만 그 의미는 뇌가 그것을 익숙하게 여기게 된다는 뜻이지, 몸과 함께 완전한 습관이 정착된 것은 아니라고 합니다.

즉 뇌에 이어서 몸까지 하나의 새로운 행위가 완전히 몸에 습관으로 정착되기 위해서는 총 66일이라는 기간이 필요하다는 뜻입니다.

《습관 66일의 기적》

습관이 만들어지는 시기 21일이고 몸에 익숙해지는 시기는 66일(평일 기준)이다. 사람의 심리적 적용기간과 익숙해지는 기간이 평균적으로 100일, 3개월이다. 그래서 군인들 100일 휴가, 직장인 3개월 수습시간, 100일

사람의 동기부여, 의미 부여는 성취감 누적으로 움직인다. 며칠을 했더라도 하루를 했더라도, 3일을 했더라도 그 성취감을 인정해주고 "그래, 잘하고 있어" 누적시켜서 다음 습관을 쌓는 연료로 시도해야 한다. 하지만 평상시에는 사소한 습관 쌓기를 하지 않다가 새해만 되면, 큰 변화가 생길 때만 습관을 쌓으려고 하니 습관이라는 자동차는 움직이지 않는 것이다. 평상시에 사소한 습관 쌓기가 나다운 습관 자동차의 주 연료다. 큰 변화가 생

길 때만 습관을 만들려고 하니 습관 자동차의 주 연료
인 휘발유가 아닌 경유를 넣는 상황이 되어 나다운 습
관 자동차는 움직이지 않는 것이다. (습관 쌓기가 힘들
다.) 노벨상을 받은 사람이 알려 주는 습관 공식보다 결
과는 나오지 않았지만 그 노력, 열정, 도전으로 만들어
진 사소한 성취감이 습관을 만드는데 더 중요하고 도움
이 된다. 습관 블록 성취감을 누적시키기 위해서는 3개
월 동안 습관을 유지하지 않았더라도 "잘했다고 잘하고
있다고 열심히 했다고" 스스로에게 성취감 셀프 누적을
시켜야 한다. 더 큰 습관 블록을 쌓기 위한 용기를 스스
로에게 줘야 한다. 6강에서 리더 습관 보호막 학습, 연
습 훈련 시작하자!

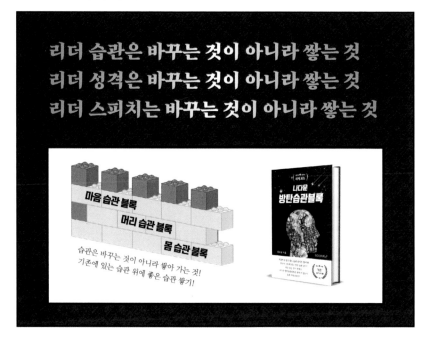

죽을 때까지 3가지? 빼고는

모든 것을 학습, 연습, 훈련해야 한다!

1. 죽음

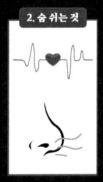

2. 숨 쉬는 것

3. 나이

**학습, 연습, 훈련 반복!
자생능력
(혼자서 할 수 있는 능력)**

양질전환 법칙!

리더 책 100권 출간

리더 책
2,000권 독서

20,000명
심리 상담, 코칭

45년간
리더 습관 320가지 만듦

★ 리더 몸, 머리, 마음 습관 블록 쌓기

방탄 리더 습관 블록 쌓기 공식!
리더 몸 습관 블록 쌓기, 리더 머리 습관 블록 쌓기, 리더 마음 습관 블록 쌓기

리더 몸 습관 블록 쌓기는 머리로 계산하지 않고 일단 시작을 해서 꾸준히 행동으로 옮기는 것이다.

리더 머리 습관 블록 쌓기는 안 좋은 습관은 좋은 습관보다 1,000배 빨리 쌓이기에 철저하게 계산해서 공식처럼 습관 블록을 쌓는 것이다.

리더 머리 습관 블록 쌓는 것도 스펙이기에 학습, 연습,
훈련을 통해 쌓아 가는 것이다.

리더 마음 습관 블록 쌓기는 나 너가 아닌 우리 함께를
위한 마음으로 쌓는 것이다.

나다운 방탄습관블록
83P ~ 89P

[2장 몸 습관 블록 8]
자신 분야 전문가 되는 습관

세상에 전문가는 많다.
하지만 삼성
(진정성, 전문성, 신뢰성)을
보여주는 전문가는 드물다.

당신은 학위만 있는 전문가?
당신은 자격증만 있는 전문가?
당신은 인지도만 있는 전문가?
당신은 돈만 있는 전문가?

그 분야 진짜 전문가는
진정성 습관
신뢰성 습관까지 있다.

다음은 노오력(어제와 같은 방법으로 시간, 경력만 채우는 것)이 아닌 올바른 노력(어제보다 0.1% 나음, 변화, 성장, 배움...등)을 해야만 양질전환법칙이 효과를 발휘한다는 것을 깨닫게 해주는 내용들이다.

양질전환 (良質轉換): 양적인 팽창이 있어야 질적인 변화가 일어난다. 물이 끓는 점 온도에 도달해야만 끓는 것처럼 자신이 달성하고자 하는 목표를 향해 시간, 노력, 열정의 양을 늘려야만 질적인 도약을 할 수 있는 법이다. 피카소는 2만 점의 작품, 아인슈타인은 240편의 논문, 바흐는 매주 한편씩 칸타타 작곡, 에디슨은 1,039개의 특허를 신청했다. 꾸준히 많이 하는 게 중요하다. 당신이 하는 모든 노력에 보상이 있을 것이다. 랄프 왈도 에머슨은 이렇게 말했다! 보상이 늦으면 늦을수록, 당신에게는 더 크게 이루어질 것이다. 복리에 복리를 더하는 것이 신이 베푸는 관례이고 법칙이기 때문이다.
<블로그 크행시>

노력은 항상 우리를 배신한다.
1만 시간의 법칙에 대해 아시나요? 1만 시간을 투자한다면 어떤 일에서든지 성공할 수 있다는 유명한 법칙이다. 그리고 지금부터 그 법칙을 완벽히 부정하려는 사람은. 다름 아닌 그 1만 시간의 법칙의 창시자, 안데르스

에릭슨 박사입니다. 그는 자신의 책 1만 시간의 재발견에서 이렇게 말한다. 사람들이 이 법칙을 들으면 가장 먼저 1만이라는 숫자에 주목합니다.

1만 시간을 연습으로 채우면 성공할 수 있다고 생각하는 거죠. 하지만 조금 의아합니다. 7시간을 공부한 나보다 3시간을 공부한 친구의 점수가 더 높고, 3년간 바둑을 둔 나보다 시작한지 1년밖에 안 된 친구가 더 잘 두는 걸 봤으니까요. 저자는 본인의 이론에 대해 스스로 의문을 품고 이런 사람들을 연구했다. 대상은 노력한 시간에 비해 더 빠른 성취를 이뤄내는 사람들 그리고 그 과정에서 절대음감을 만들어낼 수 있다는 사례를 연구해 평범한 육상 선수를 단기간에 기억력 챔피언으로 만드는 것에 성공시킨다.

그는 30년 동안의 연구 속에서 성공의 요건에 대해 새로운 것을 깨닫는데, 바로 성공하기 위해선 시간이 아닌 발전에 신경 써야 한다는 것 똑같이 공을 차는 연습을 하더라도 누군가는 연습을 몇 시간 동안 했는가에 집착하고 다른 누군가는 어떻게 하면 어제보다 잘 차는가를 고민한다.
단지 연습 시간에 집착하게 되면 '나는 이만 큼이나 열심히 했다.'라는 것에 스스로 위안을 삼는 가장 쉬운 방법이 노력한 시간의 양이기 때문에 성장하지 않아도 합리화하게 되는 것이다. 하지만 빠르게 성장하는 사람들은 매일 딱 5분씩이라도 이런 질문을 던진다. 나는 오늘 어떤 부분에서 새롭게 발전할 수 있는가.

아주 잠깐이라도 이런 고민을 하는 게 이들이 차이를 만드는 비결인 것이다. 잊지 말아야 한다. 우리에게 중요한 것은 더 많이가 아니라 어제와는 다르게.『1만 시간의 재발견』안데르스 에릭슨

＜유튜브 열정에 기름붓기＞

노력이 무조건 배신하는 것은 아니다. 기본 전제는 인계점을 넘어서기까지는 묻지도 따지지도 말고 노오력을 해야 한다. 노오력을 하다보면 노오력의 인계점(슬럼프, 권태기, 하던 것들이 적응하는 시기, 요령이 생기는 상태, 눈 감고도 할 수 있는 상태, 타성에 빠져들게 되는 상태, 지루해지는 상태, 딴생각을 하게 되는 상태, 남에 떡이 커 보이는 상태, 초심을 잃어버리는 상태, "이 정도면 잘하지 배울 게 없어."라는 자만심이 생기는 상태, 남들에 비해 잘 되고 있는데도 행복의 겨워 불만을 가지는 상태... 등)에 도달하게 된다.

노오력의 인계점은 세상 모든 일에 있고 모든 사람들에게 평생 온다. 노오력의 인계점을 극복하기 위한 최고의 방법은 방탄 리더 습관 공식 3why?기법이다.

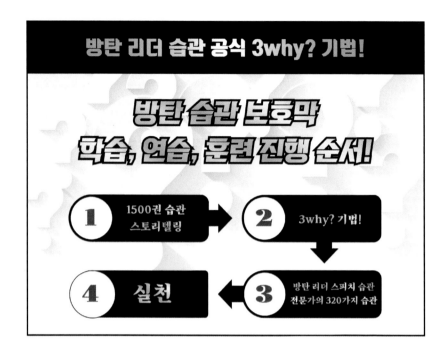

■ 리더 습관 블록 쌓기! 3why? 기법!

- 첫 번째 왜? 양질 전환 법칙! 일단 양이 많아야 한다? 무조건 노력만 하면 양질 전환이 되는가? 노력이 배신한다? 더 많이가 아니라 어제와 다르게가 중요하다. 포노 사피엔스 시대(스마트폰을 신체의 일부처럼 사용하는 인류), 4차 산업 시대의 노력이 아닌 올바른 노력으로 어떻게 하면 내 분야 전문가 될 수 있을까?

- 두 번째 왜? 자신 분야 전문가들은 평상시 어떤 습관이 있을까?

- 세 번째 왜? 지금 생활 속에서 사소하게 무엇부터 시작을 해야 전문가가 되는 습관 블록을 쌓을까?

♥ 방탄 리더 습관 전문가의 자신분야 전문가 습관 블록 쌓기

양질 전환 법칙! 무조건 많이 꾸준히 하면 된다? 그럼에도 불구하고 노력해라? 분명히 보상받을 것이다? 1970~2010 때는 한 직장 10년만 꾸준히 다니면 그만큼 보상받았고 인정해주는 시대였기 때문에 가능했다.

2010년부터(포노 사피엔스시대: 스마트폰을 신체의 일부처럼 사용하는 인류)는 노력이라는 본질은 같지만 노력에서 올바른 노력으로 업데이트가 되었다. 시대에 맞는 트랜드에 맞는 올바른 노력이 중요하다. 『1만 시간의 재발견』에서 언급했던 것이 올바른 노력이라고 말을 하고 싶다. 집중(노력)한 다음 적응될 때, 익숙해질 때 자신 분야 전문가에게 피드백을 받은 다음 수정을 해서 다시 집중(노력)하는 것이다.

집중, 피드백, 수정 이 세 가지 반복이 올바른 노력이다. 방탄습관 전문가로서 올바른 노력의 의미 부여를 다시 정리해주겠다.

첫 번째, 올바른 노력은 집중이다.

어제와 같은 시간의 흐름 속에서 노력, 집중이 아니라 목표, 방향, 신념(좌우명)을 통한 집중이다. 큰 목표를 설정한 다음 10개로 다시 나누어 하나씩 목표를 이뤄나가면서 개미 성취감들이 누적 돼야 집중하는 데 지치지

않는 것이다.

집중의 뿌리는 목표, 방향, 신념(좌우명)이다. 세네카는 이렇게 말을 했다. "목표라는 항구를 모르는 사람에게 순풍은 불지 않는다."

두 번째, 올바른 노력은 전문가에게 피드백 받기다.

전문가에게 언제 피드백을 받아야 하는가? 3개월? 6개월? 1년? 3년? 5년?....사람마다 시기는 다르지만 어떤 일을 하더라도 평균적으로 사람들이 겪는 게 있다.

하던 방식이 변화가 필요하다고 느낄 때, 익숙해질 때, 능숙해질 때, 지루해질 때, 잘한다고 느낄 때, 적응될 때, 눈 감고도 할 수 있는 실력이 되었을 때가 두 번째인 전문가에게 피드백으로 넘어가는 시기이다.

피드백은 두 가지의 피드팩이 있다. 자신 분야 셀프 피드백, 전문가의 피드백으로 나누어진다.

필자는 셀프 피드백을 했다. 강사 분야 전문가 되기 위해 15년 동안 책 2,000권 읽고(한 달 15권씩 읽음), 메모 7,000개, 강의 교안 30만 장을 만들며 상담 봉사 20,000명 상담을 하면서 시행착오, 대가 지불을 통해서 셀프 피드백을 했다.

셀프 피드백이 잘 되었는지 어떻게 알 수 있을까? 결과물이 뒷받침되어야 한다. 셀프 피드백으로 "대한민국 최초" 강사 백과사전, 강사 분야 베스트셀러, 강사 양성 분야 베스트셀러인 『나다운 강사 1』, 『나다운 강사 2』 출간했고 멘탈 분야 국내, 국외 작가 통합 1위 베스트셀러인 『나다운 방탄멘탈』을 출간, 행복 분야 베스트셀러인 『행복히어로』 출간 하여 강사의 몸값, 인지도를 올렸고 강사 분야, 멘탈분야, 행복 분야 전문가로 인정을 받았고 리더 자기계발서 39권을 출간 했다. 유튜브 <방탄자기계발>, 네이버 인물검색<최보규>에서 확인해 보라.

셀프 피드백 장점은 비용이 적게 든다는 것이고 단점은 기약 없는 오랜 시간과 어마어마한 인고의 시간을 통한 자기와의 싸움이다. 세상에서 가장 힘든 것이 자신에게 동기부여 하는 것이다.

전문가 피드백은 자신 분야 전문가에게 대가 지불을 통한 피드백을 받는 것이다. 하지만 자신 분야 전문가를 제대로 만나야 한다. 그 분야 전문가인지 아닌지 다는 알 수는 없지만 삼성(진정성, 전문성, 신뢰성)이 있는 전문가를 잘 선택해야 한다. 삼성이 있는 전문가인지 알 수 있는 팁을 알려주겠다.

학위, 자격증, 저서(베스트셀러), 유튜브...여러 가지가 있겠지만 표면적으로 바로 알 수 있는 것은 학위, 자격

중은 그 분야 국가에서 인정해 주는 것, 베스트셀러 저서는 많은 사람이 인정한 것, 유튜브 한다고 다 전문가는 아니지만 자신 분야 유튜버를 한다는 것은 삼성(진정성, 전문성, 신뢰성)이 다 오픈이 되기에 알 수 있는 것이다. 특히 간접적으로 그 사람을 알게 해 주는 것이다. 유튜브를 안 하면 자신 분야 전문가가 아니라고 말하는 것이 아니라 그만큼 삼성(진정성, 전문성, 신뢰성)이 없으면 꾸준히 하기가 쉽지 않기 때문에 시대에 맞는 전문가를 선택하는 팁을 알려주는 것이다.

세 번째, 올바른 노력은 수정이다.
셀프 피드백을 하고 수정하기는 어렵고 시간이 오래 걸리지만 비용 면에서는 전문가 피드백보다는 적게 들어간다. 셀프 피드백은 어마어마한 내공이 없으면 스스로 수정하기가 쉽지 않다.

그래서 대부분 사람들이 전문가 피드백을 대가 지불(자기계발 비용)을 통해 한다.

자신이 집중하고 있는 방법을 스스로 수정해야 한다는 것을 받아들인다는 게 쉽지는 않다. 그래서 전문가에게 피드백 받고 수정한 것을 어떻게 긍정으로 받아들이느냐, 부정으로 받아들이느냐에 따라 자신 분야의 성장 수준이 달라진다. 그리고 전문가를 선택할 때 가장 중요한 것은 관리, A/S를 해주는가이다.

그 어떤 피드백이든 한두 번으로 끝나면 피드백 효과를 볼 수가 없다. 전문가 중에 100년 관리, A/S를 해주는 전문가를 알고 있다면 천재일우(千載一遇 : 천 년에 한 번 만난다는 뜻으로 좀처럼 만나기 어려운 기회)일 것이다. 관리, A/S 해준다는 것은 책임감을 가지고 진심으로 해준다는 것이다.

리더가 삼성(진정성, 전문성, 신뢰성)가치, 몸값이 1억이라면 조직체도 1억이 된다.

리더 가치, 몸값이 1억인데 조직체가 100억인 경우는 이 두 가지를 제외하고는 없다.

첫 번째 상속, 두 번째 로또다. 가치, 몸값이 상속, 로또로 인해서 올라가는 게 아니다. 상속, 로또로 인해 가치, 몸값이 높아 보이는 것은 소비기한이 짧다. 필자가 말하고 싶은 핵심은 소비기한이 오래 지속되는 삼성(진정성, 전문성, 신뢰성)을 말하고 싶은 것이다.

다음은 자신의 가치를 어떻게 가치 있게 평가를 해야 되는지를 깨닫게 해주는 스토리텔링이다.

카페에 피카소가 앉아 있었습니다. 한 손님이 다가와 종이 냅킨 위에 그림을 그려 달라고 부탁했습니다.
피카소는 상냥하게 고개를 끄덕이곤 빠르게 스케치를 끝냈습니다. 냅킨을 건네며 1억 원을 요구했습니다.
손님이 깜짝 놀라며 말했습니다. 어떻게 그런 거액을 요구할 수 있나요? 그림을 그리는 데 1분밖에 걸리지 않았잖아요. 이에 피카소가 답했습니다. 아니요. 40년이 걸렸습니다. 냅킨의 그림에는 피카소가 40여 년 동안 쌓아온 노력, 고통, 열정, 명성이 담겨 있었습니다.
피카소는 자신이 평생을 바쳐서 해온 일의 가치를 스스로 낮게 평가하지 않았습니다. 달리 말해 자신의 가치와 능력에 대한 '확신'이 있었습니다.

피카소는 천문학적인 부와 명예를 누리며 살았죠. 반면 자신의 가치와 능력을 '의심'하는 즉 확신이 없는 사람들이 있습니다. 그들은 남들이 평가하기도 전에 자신의 가치를 스스로 깎아내립니다. 이들은 자신이 제공하는 제품과 서비스의 가격을 지나치게 낮게 책정하고, 실패나 고난을 겪으면 쉽게 포기합니다. 부의 자존감이 낮아서 돈을 벌 기회를 잡지 못하고 재산을 늘리는 데 실패

하죠. 당신 또한 지금의 당신이 되기까지 많은 노력과 고통, 슬픔과 기쁨이 있었을 겁니다. 그것을 알고 있는 당신이 자신의 가치를 인정하지 않는다면 누가 과연 인정해줄까요? <확신>에서 롭 무어는 부를 얻고 유지하는 데 가장 결정적인 요소는 자기 가치에 대한 강한 확신이라고 말합니다. 자존감이 부의 토대라는 말이죠. 이는 자신의 경험에서 우러나온 이야기이기도 해서 그는 '나의 부는 자존감에서 시작되었다'고 고백합니다.

롭 무어는 서른 살에 부를 거머쥔 젊은 백만장자입니다. 영국에서 가장 빠른 속도로 자수성가한 사업가죠. 그는 <레버리지>, <결단> 등으로 자수성가 부자들의 노하우를 알려온 베스트셀러 작가이기도 합니다. 그는 많은 사업가를 멘토링 하던 중에 자존감이 낮은 사람에게는 전략을 알려줘도 소용이 없다는 것을 깨달았습니다.

자존감이 낮으면 단순한 일에 만족하거나, 자신이 가진 기술이나 경험에 미치지 못하는 낮은 급여를 받거나, 사업에서 높은 이윤을 창출하지 못했습니다.

또 자존감이 낮은 사람은 다른 사람들에게 사랑과 관심을 받기 위해 돈을 썼습니다. 필요 이상으로 친절하게 굴고, 도움과 지원을 제공하며 자신의 돈과 에너지를 낭비했죠.

롭 무어는 이를 '머니콤플렉스'라고 명명하면서, 이런 콤플렉스를 극복해야 자신에게 있는 '소득잠재력'을 발산할 수 있다고 말합니다. 반면 자존감이 높은 사람은 한평생 자신이 쌓아온 가치와 능력을 존중하고 이를 부로 전환하기 위해 도전을 멈추지 않습니다.

나에 대한 단단한 믿음이 있어야 그 위에서 사업을 하고, 투자하고, 직업적 성취를 이룰 수 있습니다. 쉽게 무너지지 않는 부를 쌓아 올릴 수 있죠. 여러분은 자신의 특별함이나 재능을 어떻게 바라보고 있나요? 나는 위대한 사람이라고, 무엇이든 할 수 있는 사람이라고 생각하고 있나요?

롭 무어의 <확신>에 담긴 부의 심리학을 통해 백만장자의 확신을 가져봅시다. 가장 먼저 해야 할 것은 자신에게 붙일 딱지를 다시 결정하는 것입니다.

여러분은 자신에게 다음과 같은 딱지를 붙여본 적이 있나요? 난 게으른 인간이다. 나는 수많은 사람 중 평범한 한 명일 뿐이고, 부자는 특별한 사람만 될 수 있다,...나는 일하나 제대로 끝내지 못하는 나약한 사람이다. 아니에요. 이중 어떤 것도 당신이 아니에요. 한두 번, 이런 딱지가 붙어 그렇게 느꼈을지라도, 당신은 그런 사람이 아니에요. 자신에게 하는 말과 자신을 대하는 방식이 당신을 정의합니다. 나에 대해 말할 때는 신중해야 합니다. 나는 결국 성공할 사람이라고 진심으로 믿는다면, 과거에 한두 번 실패한 것, 어제 하루 게으른 것은 당신에게 교훈만 줄 뿐, 당신의 정체성을 건드리지는 못합니다. 당신을 실패자라고, 볼품없는 사람이라고 비난하는 사람은 당신 자신뿐입니다. 다른 사람은 당신에게 관심이 없거나, 그렇게 혹독하게 말하지 않죠. 당신은 어떤 사람인가요? 떠올려보세요. 자신에 대해 좋은 감정을 느꼈던 순간, '나는 이걸 잘하는 것 같아'라고 느꼈던 순간을요. 당신의 강점과 재능, 특별함을 기반으로 딱지를 새롭게 붙여봅시다. 그 딱지를 자랑스럽게 갖고 다니고, 그 외 부정적이고 근거 없는 딱지는 단호히 거절합시다. 부와 성공을 이루고 싶다면, 자존감을 바탕으로 세상에 당신을 드러내야 합니다.

나에 대한 확신을 세상에 보여주는 것입니다. 롭 무어는 백만장자가 되기 전에 가난한 화가였습니다. 그는 자신의 작품을 헐값에 팔았습니다. 자신의 조그마한 동네에서 그 그림을 비싸게 살 사람이 없다고 생각해서였죠. 가격을 올리면 탐욕스러운 사람이 될 것 같았습니다.

캔버스와 물감 같은 재료비만 고려해 가격을 설정했습니다. 화가로 사는 5년간, 그의 가치는 높아지지 않았고 부를 이루지도 못했습니다. 그러다 롭 무어는 앞서 설명했던 피카소의 냅킨 일화를 접하면서 큰 깨달음을 얻었습니다.

자신이 세 살 때부터 예술에 쏟았던 시간, 헌신, 고통, 교육과 투자를 위해 지불한 온갖 비용을 빼놓고 단지 재료비만 계산해왔다는 것을요.

롭 무어는 이렇게 말합니다.

"나는 내가 불공정한 대우를 받고 있다고 생각했는데, 실제로는 내가 그런 불공정한 교환을 주도한 당사자였다. 아무도 당신이 더 높고 공정한 가격을 책정할 수 있게 도와주지 않는다. 누구도 당신의 자존감을 높여주려고 당신에게 더 많은 돈을 내지 않는다. 자존감은 당신 자신이 높여야 한다. 당신이 매기는 가격에는 평생의 노력과 헌신, 고통과 열정, 교육, 경험, 투자비용과 기회비용 등이 포함되어야 한다. 이제 당신이 요구하는 가격, 수수료, 급여를 올려라." 물론 무작정 가격을 높게 매길 수는 없습니다. 구매자가 매력을 느끼면서 수긍할 수 있는 가격을 설정해야 하죠.

문제는 대부분의 사람이 자신의 가치를 일단 낮게 정하고 시작한다는 것입니다. 당신은 낮은 가격을 매기는 게 정직하다고, 혹은 구매자에게 만족을 줄 거라 생각합니다. 하지만 실제로 구매자는 당신의 가치를 딱 그 가격

만큼 여기죠. 시행착오를 겪겠지만, 가격을 일부러 낮추지 말고 높게 설정하세요. 그리고 그 가격에 맞는 가치를 만들도록 부단히 계발하세요. 결국 사람들은 당신의 가치에 충분히 높은 가격을 지불하게 될 것입니다. 나에 대한 확신을 유지하면서, 내 가치를 증명해보는 겁니다. 확신이 없다면 아무리 부의 그릇을 채우려고 해도 밑 빠진 독에 물 붓기에 다름없습니다. 지금 당신 마음에 구멍이 있다면, 그 구멍부터 나에 대한 확신으로 단단히 채워야 합니다. 롭 무어가 스스로 이 책 <확신>이 "지금까지 썼던 다른 모든 책보다 훨씬 중요하다"고 말한 이유죠. 당신은 결국 성공할 사람입니다. 그 확신을 가져봅시다.

《확신》 <유튜브 책그림>

사명감은 만들어지는 것이 아니라 만들어 가는 것!
1페이지: 아버지 발인과 바꾼 강사 직업
강의 중간에 부친상이 생겨 강의 3시간을 다 하고 상을 치르러 내려갔습니다. 아버지 발인 날도 강의가 있었습니다. 필자는 강의를 갔습니다. 누가 들으면 진짜 후레자식이라는 말을 백번은 들어도 뭐라 할 수 없는 상황인 거죠.

필자가 강의를 갔던 게 잘했다고 말을 하는 게 아닙니

다. 살아생전에 아버지와 1분 이상 대화를 해 본 적이 없었습니다. 아버지가 늘 말씀하셨던 것이 있습니다. 너의 위치에서 최선을 다하는 것이 부모, 가족들에게 효도, 행복을 주는 거다. 늘 이 말만은 했었죠. 필자는 제 위치에서 최선을 다하기 위해 그 슬픔, 아픔, 미안함, 고마움, 그리움을 가슴에 흐느끼며 아버지 발인 날에 3시간의 강의하러 갔던 것입니다. 다시 그 상황이 되더라도 필자는 갈 것입니다.

강사 일이 힘들고, 지치며 잘 안 풀릴 때 강사 직업과 아버지 발인과 바꿨다는 정신(사명감)으로 스스로에게 의미부여, 동기 부여를 합니다.

"보규야, 너 아버지 발인과 바꾼 강사 직업이다. 정신 차려라. 지금 그럴 때가 아니야!"

조용한 곳에서 힐링이 되는 음악을 들어야만 명상이 아닙니다. 아무리 시끄러운 곳이라도 한 가지 생각만 하면 명상이 되는 것처럼 필자의 생활 속에서 꾸준한 자기관리, 강사 신념, 변화, 성장을 위한 배움이 있었기에 그 슬픔 속에서도 집중을 할 수 있었던 것입니다. 사명감이 있어야 그 일을 하는 게 아니고 큰 터닝 포인트가 생겨야 만들어지는 것도 아닙니다. 생활 속에서 가랑비처럼 꾸준히 스며들면서 사명감을 만들어 가는 것입니다.

《나다운 강사2》

이 일이 전망이 얼마나 좋은가,
얼마나 많은 부와 명예를 가져다줄 것인가 하는
얕은 생각이 아닌,
내 인생을 걸어도 좋을 만큼 행복한 일인가에
답할 수 있는 것을 나는 꿈이라고 부르고 싶다.
《비상》

이게 내 일이 맞는 걸까?
우리는 항상 선택 앞에 놓인다.
한 가지 길의 선택은 가지 않은 길의 포기를 의미한다.
그렇다면 자신이 걷고 있는 길이 좋은 길이라는 것을
어떻게 아는가?

멕시코의 야키족 인디언 돈 후랑은 이렇게 말한다. 그
어떤 길도 수많은 길 중 하나에 불과하다. 그러므로 너
는 자신이 걷고 있는 길이 그저 하나의 길에 불과하다
는 것을 명심해야 한다. 그리고 그 길을 걷다가 그것을
따를 수 없다고 느끼면 어떤 상황이든 그 길에 머물지
말아야 한다. 마음이 그렇게 하라고 한다면 그 길을 버
리는 것은 너 자신에게나 다른 이에게나 전혀 무례한
일이 아니다.

너 자신에게 이 한 가지를 물어보라. 이 길에 마음이 담

겨 있는가? 마음이 담겨 있다면 그 길은 좋은 길이고 그렇지 않다면 그 길은 무의미한 길이다.

마음이 담김 길을 걷는다면 그 길은 즐거운 여행길이 되어 너는 그 길과 하나가 될 것이다. 마음이 담겨 있지 않은 길을 걷는다면 그 길은 너로 하여금 삶을 저주하게 만들 것이다. 현재 당신의 길에는 마음이 담겨 있는가?

<꿈톡>

생활 속에서 자신, 자신 분야를 아끼고 사랑하는 사소한 행동들이 모여서 자신, 자신 분야의 자존감, 확신이 만들어지는 것이다. 자신, 자신 분야의 자존감, 확신은 이벤트가 아니라 습관으로 만들어지는 것이다.

20,000명 심리 상담, 코칭 하면서 알게 된 것은 자신을 믿지 못해서 시작하려는 것에 확신이 없어서 도전, 변화를 못 하겠다고 하는 사람이 많다. 그래서 늘 해주는 말이 있다. "자신을 못 믿겠다면 자신을 믿어주는 사람을 믿고 시작, 도전, 변화하면 된다." 이런 말로 한순간에 자존감, 확신이 만들어지지는 않지만, 자신을 믿어주는 사람들이 있다면 얼마나 고마운 분들인가? 그 고마움, 감사함을 보답하는 것은 결과를 내는 것보다 최선을 다하는 모습을 보여주는 것이다.

최선을 다하는 사소한 행동이라는 연료가 자존감, 확신의 자동차를 움직이게 하여 자신이 인생을 왜 사는지, 필요한 존재라는 것을 알게 해준다. 인생을 왜 사는지, 필요한 존재라는 것을 자신이 느낄 때 우주에서 최고의 자존감, 확신이 만들어진다.

■ 리더 습관 블록 쌓기! 3why? 기법!
- 첫 번째 왜? 어떻게 하면 내 분야 자존감, 확신을 높일 수 있을까?
- 두 번째 왜? 자존감, 확신이 있는 전문가들은 평상시 어떤 습관이 있을까?
- 세 번째 왜? 지금 생활 속에서 사소하게 무엇부터 시작을 해야 자신 분야 삼성(전문성, 신뢰성, 전문성)을 올릴 수 있을까?

러더에게 확신은 어디서 오는가? 리더 자신 분야 삼성 (진정성, 전문성, 신뢰성)이 높아질 때 확신이 생기고 자신의 가치가 올라간다. 리더 자신 분야 삼성을 높이기 위해서는 노오력이 아닌 올바른 노력을 해야 한다.

20,000명 심리 상담, 코칭 하면서 목이 터져라 말하는 게 있다. 경력은 스펙이 아니다. 나이는 스펙이 아니다. 누구나 있는 스펙은 스펙이 아니다. 자존감 낮은 습관을 가지고 있는 리더들은 스펙, 나이를 내세운다.

리더는 자신 분야 삼성(진정성, 전문성, 신뢰성)을 높이기 위한 습관을 쌓아야 한다. 노오력 하는 리더는 한 분야 전문성으로만 승부를 걸려고 하는 습관이 있다. "배운 게 도둑질인데 힘들게 시대에 맞게 접목을 어떻게 해? 돈, 시간 낭비야. 하던 것만 하자"라는 태도로 대박, 한방만 바란다.

올바른 노력을 하는 리더는 "한 분야 전문성으로는 힘든 시대다. 내 분야를 다른 전문성과 연결을 시켜 삼성(진정성, 전문성, 신뢰성)을 극대화 시켜야겠다." 라는 태도, 습관이 있어서 결과를 내는 행동을 한다.

방탄 리더 습관 보호막 학습, 연습, 훈련
독수리 같은 리더가 되기 위한 습관?

나다운 방탄습관블록
144P ~ 148P

[3장 머리 습관 블록 18]
독수리가 되고 싶다면 독수리와 날기 위한 습관이 먼저다.

독수리가 되고 싶다면 독수리와 날기 전에 해야 할 것은
독수리와 날기 위한 습관 블록을 쌓아야 한다.

독수리가 되고 싶다면 독수리와 날기 위한 습관 블록을
쌓기 위한 학습, 연습, 훈련하는 공식은
환경 30%, 주제 파악(메타인지) 50%(사람의 도리, 인성, 겸손), 실력 20%

독수리가 되고 싶다면 독수리와 날아야 한다? 단순하게 독수리가 사는 환경으로 들어가면 독수리가 될 수 있을까? 아니다.

당연히 환경이 중요하다. 하지만 환경에 맹신하면 안 되는 것이다. 독수리가 되고 싶다면 환경 30%, 주제 파악(메타인지)50%, 실력 20%가 조합을 이룰 때 독수리 환경에 들어갔을 때 독수리가 될 가능성이 높은 것이지 "무조건 독수리가 된다!"라는 보장은 없다.

하지만 너무도 단순하게 "독수리가 되고 싶다면 독수리와 날아라!" 이 말을 듣고 환경에만 들어가면 마치 다 되는 것처럼 해석하는 사람들이 많다. 그 말을 부정하는 것은 아니다. 해석을 계산적으로 지혜롭게 해야 하는 것이다.

■ 리더 습관 블록 쌓기! 3why? 기법!
- 첫 번째 왜? 어떻게 독수리가 되고 싶다면 환경 30%, 주제 파악(메타인지)50%, 실력20%가 조합을 생각 할 수 있었을까?
- 두 번째 왜? 평상시 어떻게 하면 환경 30%, 주제파악(메타인지)50%, 실력 20% 조합을 이루어 독수리와 날기 위한 습관 블록을 쌓을까?

- 세 번째 왜? 지금 생활 속에서 사소하게 무엇부터 시작을 해야 독수리와 날기 위한 습관 블록을 쌓을 수 있을까?

♥ 방탄 리더 습관 전문가의 독수리와 날기 위한 습관 블록 쌓기

환경이 사람을 만든다? 위치가 사람을 만든다? 이 말은 신석기 시대 말이 되어버렸다. 이 말들이 맞는 말이지만 지금 포노 사피엔스 시대에서는 통영이 안 되는 말이 되어버렸다. 지금은 해석을 다르게 해야 한다.

환경이 사람을 만들지만 환경이 사람을 더 망가뜨리기에 겸손 스펙을 쌓아야 한다. 위치가 사람을 만들지만 위치가 사람을 더 망가뜨리기에 겸손 스펙을 쌓아야 한다. 대기업들의 갑질, 오너들의 갑질, 가진 것 많은 사람의 갑질, 고위층의 위력 행위로 인해 독수리도 같은 독수리가 아니다.

#.위력: 사람의 의사를 제압할 수 있는 유형적·무형적인 힘을 말한다. 폭행·협박을 사용한 경우는 물론, 사회적·경제적 지위를 이용하여 의사를 제압할 수 있다. 형법상 업무방해죄(형법 제314조), 특수폭행죄(형법 제261조) 등에 있어서 범행의 수단으로 되어있다.

<네이버 지식백과>

당연히 몇몇에 갑질하는 독수리(오너, 사장, 성공자)로 모든 독수리를 판단하면 안 되지만 현실 문화가 갑질하는 독수리를 SNS가 음지에서 양지로 드러나게 만들고 있다. 독수리가 되기 위해서는 환경 30%, 주제 파악(메타인지)50%, 실력 20% 조합이 필요하다. 가장 중요한 것은 주제 파악(메타인지)이다.

#.메타인지: 메타인지는 자신의 인지적 활동에 대한 지식과 조절을 의미하는 것으로 내가 무엇을 알고 모르는지에 대해 아는 것

<네이버 지식백과>

한마디로 주제 파악(메타인지)은 내가 아는 것과 모르는 것을 100% 구분은 못 하지만 자신이 잘하는 부분과 자신의 부족한 부분을 구분을 해야 한다. 잘하는 부분은 최대로 극대화시키고 부족한 부분은 개선하기 위해서 학습, 연습, 훈련을 하는 것이다.

주제 파악(메타인지)에 가장 중요한 것은 사람의 도리, 인성, 겸손이다.
나다움의 시작, 주제 파악(메타인지)의 시작은 사람의 도리를 지키는 것에서부터 시작이다. 갑질하는 사람들 대부분은 사람 대 사람으로 보지 않고 내가 돈을 주고 고용한 사람이니까 물건의 개념으로 바라본다.

사람의 도리를 안 지킨다는 것은 인성의 문제가 있는 것이고 겸손하지 못하다는 뜻이다.

필자는 주제 파악(테마인지)을 학습, 연습, 훈련하기 위해 성인(20살)이 된 후로부터 생각을 했다. 내게 주어진 자원을 먼저 알고 그다음 독수리와 날기 위해 어떤 자원이 필요한가? 세상, 현실이 정해놓은 자원의 기준인 돈, 학벌, 외모지상주의, 인맥, 빽, 물질적인 것들을 어떻게 맞춰 갈 것인가?

남들이 가지고 있는 것과 똑같이 맞춰 갈 수는 없었기에 어떻게 하면 그 기준과 견줄 만한 조건으로 만들 것인가를 생각했다. '필자는 참새이고 참새 환경인 상황에서 독수리가 되기 위해서 독수리와 같이 날기 위해서 가지고 있는 자원으로 무엇을 해야 하는가?'라는 질문을 던지며 장점에 집중했다.
'그 독수리(오너, 사장, 성공자)도 사람이다. 사람들이 가장 좋아하는 사람은 인성이 좋은 사람, 겸손한 사람, 긍정적인 사람, 밝은 사람, 같이 있으면 기분 좋아지는 사람, 정이 넘치는 사람, 늘 배우려고 힘쓰는 사람이 되기 위해 학습, 연습, 훈련하자!'라고 다짐했다. 한두 가지로 학습, 연습, 훈련한다고 되는 것이 아니라는 것을 알았다. 자동차가 움직이기 위해서 2만~3만 개의 부품들이 조합을 이루어 움직이고 손목시계는 100개~200개 부품이 모여 움직이며 스마트폰은 50개~100개 부품이 모여 움직이듯이 필자는 320가지 습관 블록으로 나다운 인생을 움직이고 있다. 이제는 필자가 삼성(진정성, 전문성, 신뢰성)이 검증된 독수리가 되었다. 아직 독수리가 되지 못한 사람들에게 영향력을 끼치는 위치에 있는 강사, 유튜버, 베스트셀러 작가, 네이버 인물 등록된 사람으로서 누구보다 더 주제 파악(메타인지)의 기본인 사람의 도리, 인성, 겸손을 학습, 연습, 훈련하고 있다.

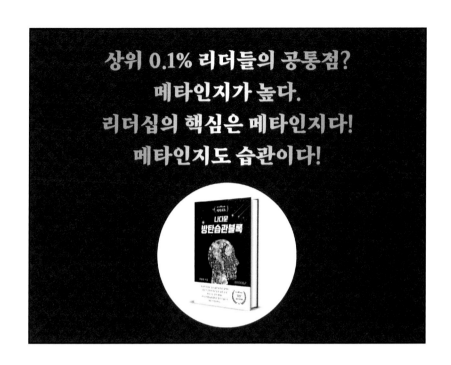

독수리 같은 리더가 되기 위해서는 환경 30%, 주제 파악(메타인지)50%, 실력 20% 조합이 필요하다고 했다. 50%를 차지하는 리더의 메타인지를 높이기 위해서 어떻게 해야 하는가?

다음은 메타인지를 왜 올려야 하고 어떻게 올려야 하는지를 깨닫게 해주는 내용이다.

당신이 메타인지를 올려야 하는 이유
서점에 진열된 수많은 자기계발서는 독자들에게 항상 이렇게 말한다. "항상 긍정적으로 생각해라. 세상의 중심이 되어라! 너는 특별한 존재다.” 하지만 아쉽게도 우리는 인정해야 한다. 지금의 우리는 이 세상의 중심이될 수 없음을 세 가지 큰 이유가 있다.

먼저 우리는 성공한 주인공 뒤에 가려진 수많은 실패자를 보지 못하고 있다.

<행운에 속지 마라>의 저자인 나심 니콜라스 탈레브는 우리는 승자만 보기 때문에 확률을 보는 관점이 왜곡된다고 말한다.

우리가 주로 접하는 미디어는 관심을 끌기 위해 극단적인 성공과 성취를 주로 다룬다. 하지만 우리들은 이런 성공 뒤에 있는 수많은 고난과 노력 그리고 실패를 보지 못한다. 선택과정에서 이런 성공적인 사례만 포함시킨 결과 자신의 상황과 능력을 지나치게 긍정적으로 평가하는 것이다. 예를 하나 들어보자 미디어에서는 연일 우버, 페이스북, 트위터 등의 성공적인 스타트업 신화를 보여주며 청년들의 창업을 유도한다. 하지만 하버드 비즈니스 리뷰의 자료에 따르면 투자 규모와 무관하게 75% 이상의 스타트업은 망한다. 한번 생각해보자. 과연 실패한 그들은 자신이 망할 거라 생각하고 스타트업을 시작했겠는가.

두 번째 이유는 우리가 우리 자신을 너무 모른다는 것이다. 신영준 박사와 고영성 작가의 저서인 <완벽한 공

부법>에 따르면 많은 사람들은 자신이 무엇을 아는지 아는 메타인지가 매우 부족하며 자신의 능력과 가능성을 제대로 평가하지 못한다.

이로 인해 생긴 현실과 이상의 괴리를 인정하지 않으면 허세라는 심각한 문제로 발전할 확률이 높다.

<신경 끄기의 기술>의 저자 마크 맨스는 이러한 허세가 매우 처참한 결과로 이어질 가능성이 높다고 경고한다. 허세는 자신의 현실을 제대로 파악하지 못한 채 억지로 무리한 기준에 맞추려 하는 행위로 이에 빠지면 자신의 자원을 성장이 아닌 것으로 보이는 것에만 낭비하느라 역량과 신뢰를 쌓을 기회를 잃어버린다.

더욱더 큰 문제는 이러한 허세는 중독성이 매우 높아 쉽게 포기하기 어렵다는 것이다. 자신의 허세를 유지하기 위해 성장에 필요한 자원이 낭비되고 이것이 반복되는 부정적 악순환이 만들어진다.

마지막으로 우리는 운에 대해 제대로 알지 못한다. 갈수록 복잡해진 사회에서 운의 영향력은 점점 커지고 있지만 이는 과소평가 되기 쉽다.

성공을 꿈꾸는 사람들 심지어 성공을 이루었던 사람들조차 운을 간과해 엄청난 실패를 맞이하는 경우가 많다. 최선을 바란 채 운이 가져올 잠재적 영향을 무시하다

보면 이제까지 이뤄놓은 성과보다 더 큰 실패에 노출될 수밖에 없다,

그러면 우리는 어떤 생각과 자세를 가져야 할까?

첫 번째로 나 자신을 과신하지 않고 끝없이 반성해야 한다. 무한 긍정주의에서 벗어나 "나는 아직 대단한 사람이 아니다."라는 진실을 인정하고 자신이 가지고 있는 부정적인 측면을 똑바로 바라보아야만 한다.

두 번째로 자신의 단조로운 삶을 그대로 받아들여야 한다. 자신의 삶은 특별하지 않고 오히려 단순함을 인정해야 비현실적 기준에 얽매이지 않고 자신이 진정으로 원하는 것을 이룰 수 있다.

마지막으로 자신의 분야를 철저히 공부하고 운이 얼마나 영향을 끼치는지 분석해야 한다. <일취월장> 의 저자 신영준 박사와 고영성 작가는 운은 거의 대부분의 분야에 적용되지만 그 영향력의 정도는 분야에 따라 다르다고 설명한다. 만약 자신의 분야의 성과가 실력에 비례한다면 실력을 키워야 한다. 만약 자신의 분야에서 실력과 성과 사이에 특별한 상관관계가 없다면 운을 고려하고 최악을 대비해야 한다. 성공을 꿈꾸는 사람들의 대부분은 평범함과 자신의 결정을 받아들이기를 거부한 채 자신은 세상의 주인공이 될 엄청난 잠재력이 내재되어 있다고 생각한다. 그럴수록 명심해라. 지구가 우주의 중심이 아니라는 사실을 인정해야 진짜 과학을 볼 수

있듯 자신이 세상의 중심이 아니라는 사실을 직시해야 진짜 자신의 모습을 볼 수 있다.
<유튜브 스터디언>

<<메타인지를 높이는 세 가지 방법>>
정의)
메타인지 – 내가 무엇을 알고 무엇을 모르는지를 객관적으로 아는 것
1) 메타 기억 – 내가 무엇을 기억하고 있는지 아닌지를 아는 것
2) 메타 이해 – 내가 무엇을 이해하고 있는지 아닌지를 아는 것

<<메타인지를 높이는 세 가지 방법>>
1. 전략을 배우라.
2. 피드백을 받아라.
3. 인지 과정을 인지하라.

간략히)
<<메타인지를 높이는 세 가지 방법>>
1. 전략을 배우라.
전략을 배우면 그 전략이 나온 이유를 생각해보며, 자기의 한계를 알고, 자기를 객관적으로 볼 수 있게 된다.

2. 피드백을 받아라.

시험, 전문가의 피드백, 셀프 피드백 (연습문제 풀이, 요약, 서평 등 글쓰기)

3. 인지에 관해 공부해라.

심리학, 행동경제학, 뇌과학 등 마음, 심리에 대한 이해가 있을 때 메타인지를 높일 수 있다!

자세히)

<<메타인지를 높이는 세 가지 방법>>

1. 전략을 배우라.

EBS 공부의 왕도 암기 실험 (단어가 적힌 100장의 카드를 짧은 시간 안에 외우기

- 처음 : 서울대, 스탠포드 등 명문대 학생 46개 VS 산본중학교 학생 24개

- 분류(동물, 음악 등)라는 전략을 알고난 후(분류표 제공) : 산본중학교 학생 40개 암기 (두 배 가까운 기억력 향상)

이후, 산본중학교에서 설문조사

"나만의 확고한 공부 전략이 있는가?"

20프로만 "있다"라고 대답 (당시 실험 참가 학생이 대부분) - 담임선생님의 피드백 : 학생들의 목표와 기대 수준보다 높은 성취도, 실제 성적도 향상

* 스스로 자신만의 공부 전략을 만들어 버린 것"

전략을 배우면 메타인지를 높일 수 있고 자신만의 전략도 만들 수 있다. (그 전략이 나온 이유 - 짧은 시간에 분류하지 않고는 외울 수 없다는 자기 객관화가 있었기에 어떻게 하면 효율적으로 암기할지 방법을 고안하게 되고 효율성이 높아지게 됨)

예) 환경설정 - 휴대폰 꺼두기, 페이스북에 글 올리지 않기 (전략을 배우면 이 전략이 나온 이유를 생각하며 우리 자신의 한계에 대해, 우리 자신에 대해 객관적으로 알게 되는 것)

전략을 배우면 메타인지는 올라가게 되어 있다.

공부에 대한 메타인지를 높이기 위해, 공부법, 학습전략을 배우기. 완공 책을 읽는 것으로 메타인지를 높일 수 있다! (비즈니스, 자영업 등 하고자 하는 것의 전략을 배우게 되면 자연스럽게 왜 이 전략이 나왔을지를 생각하게 되고 그럼으로써 우리의 객관적인 모습을 알게 된다!) "메타인지가 높아지면 자신의 한계를 알고 극복할 수 있는 전략을 세울 수 있다"

2. 피드백을 받아라.

피드백 - 자신에 대해 객관적 평가를 받아서 자신에 대해 객관적으로 알게 되는 것

* 피드백 받는 방법

1) 전문가에게 피드백을 받는다.

자신이나 주변 사람들이 몰랐던 것들을 전문가는 피드백해주어 자신을 객관적으로 알게 됨 (소리 반 공기 반)

- 운동선수 (코치), 학교 (교사) : 적절한 피드백으로 메타인지 올라감

2) 자기 자신에게 피드백을 받는다.

시험보기 (점수), 연습문제 풀기 (내가 컨텐츠를 얼마나 이해하고 있는지 알기 위해), 내용 요약 (얼마나 알고 있는지 알 수 있음), 토론 (내가 제대로 이해했는지 아닌지 알게 됨)

* 읽기만 하면 자신이 그 내용을 안다고 착각하게 됨

* 셀프 피드백은 장기 기억 전략이기도 함

피드백은 메타 인지를 올려주고 장기 기억으로 가는데 도움을 준다!

3. 인지 과정을 인지하라 (= 인지 과정을 공부하라)

메타인지 - 인지 과정에 대한인지

심리학, 행동경제학, 뇌 과학 등 : 우리 인간의 마음에 대해 이야기하는 책, 논문, 강의를 들으며 나의 오류와 착각에 대해 알게 됨

"인간에게 이런 인지적 한계가 있구나!"라는 것을 알게 됨으로써 메타인지가 올라감

자기 자신에 대해 다시 바라보게 되므로

정리)

<<메타인지를 높이는 세 가지 방법>>

1. 전략을 배우라.

공부법, 공부 전략, 비즈니스 전략 등

이 내용이 왜 나왔는지를 생각하게 되니까

2. 피드백을 받아라.

객관적 평가 - 전문가 평가, 셀프 피드백 (시험, 연습문제, 요약해보기, 글 써보기, 토론해보기 등)

내용을 숙지했는가, 내용을 외웠는가를 객관적으로 평가해보는 것

3. 인지 과정을 인지하라.

인지 과정을 배우자. 심리학, 뇌과학, 행동경제학 등으로 인간의 마음과 행동, 인간의 인지적 한계에 대해서 배우자. 그러면 메타인지가 높아지게 된다.

- 7강 메타인지를 높이는 세 가지 방법 -

<유튜브 스터디언> 《완벽한 공부법》

위에 내용이 어려울 수도 있다. 당연히 어렵다. 우주에서 가장 어려운 것이 자신을 아는 것이라고 한다. 바둑, 장기를 둘 때 훈수 두는 사람이 더 잘 보이고 잘하듯 3자 일은 박사가 되는데 자신 일은 천하에 바보가 되는게 인간의 심리다. 메타인지도 습관이라는 것이다. 습관을 평생 해야 하듯 메타인지 높이는 것은 습관처럼 해야 한다.

어떻게 하면 메타인지 습관을 쌓을 수 있을까? 세상에서 가장 쉬운 방법은 벤치마킹하는 것이다. 방탄 리더 습관 창시자가 메타인지를 높이는 습관 320가지 참고해서 방탄 리더 습관 3:7공식인 10개 중 3개 벤치마킹하고 70%는 시행착오, 대가 지불, 인고의 시간을 통한 경험 했을 때 우주에서 가장 강력한 나다운 리더 메타인지가 만들어진다.

리더 메타인지 높이는 320가지 습관 중에 30%면 90개지만 지금 당장 시작할 수 있는 3가지만 벤치마킹으로 시작하자.

▶ 리더 메타인지 높이는 습관 320가지

1. 전신 장기기증
2. 유서 써놓기

3. 꿈 목표 설정

4. 영양제 챙기기

5. 꿀 챙기기

6. 계단 이용

7. 8시간 숙면

8. 취침 4시간 전 안 먹기

9. 기상 후, 자기 전 스트레칭 10분

10. 술, 담배 안 하기

11. 하루 운동 30분

12. 밀가루 기름진 음식 줄이기

13. 자극적인 음식 줄이기

14. 얼굴 눈 스트레칭

15. 박장대소 하루 2회

16. 기상 직후 양치질 물먹기

17. 물 7잔 마시기

18. 밥 먹는 중 물 조금만

19. 국물 줄이기

20. 밥 먹고 30후 커피 마시기

21. 기상 직후 책 들기

22. 한 달 책 15권 보기

23. 책 메모하기

24. 메모 ppt 만들기

25. SNS 캡처 자료수집

26. 강의 자료 항상 찾기

27. 좋은 글 점심때 보내기

28. 사랑의 전화 봉사

29. 주말 유치원 봉사

30. 지인 상담봉사

31. 강의 재능기부

32. 사랑의 전화 후원

33. 강의자료 주기

34. TV 줄이기

35. 부정적인 뉴스 줄이기

36. 솔선수범하기

37. 지인들 선물 챙기기

38. 한 달 한번 등산

39. 몸에 무리 가는 행동 안 하기

40. 하루 감사 기도 마무리

41. 탄산음료, 과일주스 줄이기

42. 아침 유산균 챙기기

43. 고자세

44. 스마트폰 소독 2번

45. 게임 안 하기

46. SNS 도움 되는 것 공유

47. 전단지 받기

48. 긍정, 멘탈 사용설명서 도구 스티커 나눠주기

49. 학습자 선물 주기

50. 강의 피드백 해주기

51. 자일리톨 원석 먹기 하루 3개

52. 찬물 줄이고 물 미온수 먹기

53. 소금물 가글

54. 알람 듣고 바로 일어나기

55. 오전 10시 이후 커피 먹기

56. 믹스커피 안 먹기

57. 강의 족보 주기

58. 강의 동영상 주기

59. 강의 녹음파일 주기

60. 블로그 좋은 글 나누기

61. 인스턴트 음식 줄이기

62. 아이스크림 줄이기

63. 빨리 걷기

64. 배워서 남 주자 실천(PPT)

65. 읽어서 남 주자 실천(책 속의 글)

66. 오른손으로 차 문 열기

67. 오손도손 오손 왼손 캠페인 전파하기

68. 운전 중 스마트폰 안 보기

69. 취침 전 30분 독서

70. 취침 전 30분 스마트폰 안 보기

71. 오늘이 마지막인 것처럼 섬기고 영원히 살 것처럼

배우기

72. 자존심 신발장에 넣어 두고 나오기
73. 내가 받은 상처는 모래에 새기고 내가 받은 은혜는 대리석에 새기기
74. 어제의 나와 비교하기
75. 어제 보다 0.1% 성장하기
76. 세상에서 가장 중요한 스펙? 건강, 태도 실천하기
77. 나방이 되지 않기
78. 마라톤 10주 프로그램 시작
79. 마라톤 5km 도전
80. 마라톤 10km 도전
81. 마라톤 하프 도전
82. 마라톤 풀코스 도전
83. 자기 전 5분 명상
84. 뱃살 스트레칭 3분
85. 아침 동기부여 사진 보내기 8시
86. 저녁 동기부여 사진 보내기 9시
87. 나의 1%는 누군가에게는 100%가 될 수 있다. 실천
88. 150세까지 지금 몸매, 몸 상태 유지 관리
89. 아침 달걀 먹기
90. 운동 후 달걀 먹기
91. 헬스장 등록
92. 오래 살기 위해서가 아니라 옳게 살기 위해 노력하

는 사람이 되자

93. 남들이 하는 거 안 하기 남들이 안 하는 거 하기

94. 아침 결명자차 마시기

95. 저녁 결명자차 마시기

96. 폼롤러 스트레칭

97. 어제보다 나은 내가 되자

98. 남들이 안 하는 강의 분야 도전

99. 플랭크 운동

100. 스쿼터 운동

101. 계산할 때 양손으로 주고받고 인사

102. 명함 거울 선물 주기

103. 40살 되기 전 책 출간

104. 반 100년 되기 전 책 5권 집필하기

105. 유튜브[나다운TV] 강사심폐소생술

106. 유튜브[나다운TV] 나다운심폐소생술

107. 아.원.때.시.후.성.실 말 줄이기

108. 나다운 강사 책 유튜브 올려 함께 잘 되기

109. 리플렛으로 동기부여 시켜주기

110. 아침 8시 동기부여 메시지 만들어 보내기

111. 저녁 9시 동기부여 메시지 만들어 보내기

112. 어플 책 속의 한 줄에 책 내용 올리기

113. 책 내용 SNS 오픈

114. 3번째 책 원고 작업 시작

115. 4번째 책 자료수집

116. 뱃살관리 스트레칭 아침, 저녁 5분

117. 3번째 책 기획출판계약

118. 최보규강사사관학교 시작

119. 최보규강사사관학교 지회 원장 임명

120. 올 노(올바른 노력)공식 오픈

121. 행복, 방탄멘탈 공식 자자자자멘습긍 오픈

122. 생화 네 잎 클로버 선물 주기

123. 세바시를 통해 극단적인선택 예방 전파!

124. 세바시를 통해 자자자자멘습긍 사용설명서 전파!

125. 4번째 책 원고 시작 2021년 1월 출간 목표!

126. 전염성이 강한 상황 왔을 때 대처하기 위한 준비!

127. 코로나19 극복을 위한 공적 마스크 독고 어르신들
     주기!

128. 아내를 위해 앉아서 소변보기

129. 들어라 하지 말고 듣게 하자

130. 좋은 사람이 되지 말고 좋은 사람 되어주자.

131. 좋아하게 하지 말고 좋아지게 하자

132. 보여주는(인기)인생을 사는 것보다 보여지는(인
     정)인생을 살아가자.

133. 나 이런 사람이야 말하지 않아도 이런 사람이구나
     느끼게 하자.

134. 마음을 얻으려 하지 말고 마음을 열게 하자.

135. 믿으라 하지 말고 믿게 하자

136. 나에 행복 0순위는 아내의 행복이다! 일어나서 자기 전까지 모든 것 아내에게 집중!

137. 아내 말을 잘 듣자! 하는 일이 잘 된다!

138. 아버지가 어머니에게 이렇게 대했으면 하는 남편이 되겠습니다. 매형들이 누나들에게 이렇게 대했으면 하는 남편이 되겠습니다.

139. 내 몸은 아내거다. 빌려 쓰는 거다! 담배, 술, 몸에 무리가 가는 모든 것 자제 하고 건강관리, 자기관리 하겠습니다.

140. 아내의 은혜를 보답하기 위해 머리, 가슴, 몸, 돈으로 실천하겠습니다!

141. 아내에게 받은 사랑(내조) 보답하기 위해 머리, 가슴, 몸, 돈으로 실천하겠습니다.

142. 아내를 몸, 마음, 돈으로 평생 웃게 해서 호강시켜 주겠습니다.

143. 아내를 존경하겠습니다. 세상에 아내 같은 여자 없습니다.

144. 아내 빼고는 모든 여자는 공룡이다! 정신으로 살겠습니다.

145. 많은 사람들에게 인정받는 남편이 아닌 아내에게 인정받는 남편이 되기 위해 먼저 맞춰가는 남편이 되겠습니다.

146. 아내에게 무조건 지겠습니다.

이기려 하지 않겠습니다. 아내 앞에서는 나직성자체를 내려놓겠습니다. (나이, 직급, 성별, 자존심, 체면)

147. 지저분한 것(음식물 쓰레기, 화장실 청소)다 하겠습니다.

148. 함께하는 한 가지를 위해 개인 생활 10가지를 감수하겠습니다.

149. 최강자 학습지 시작 (최보규의 강사학습지, 자기계발학습지)

150. 홈코 시작(집에서 화상 1:1 케어)

151. 불자의 인생 시작

152. 나는 복덩어리다. 나는 운이 좋은 사람이다.

153. 베스트셀러 3권 달성 노하우 책쓰기 교육 시작

154. 유튜브, 유튜버 100년 하는 노하우 교육 시작

155. 방탄멘탈마스터 양성 시작

156. 나다운 방탄멘탈 책으로 극단적인 선택 줄이기

157. 아침 8시, 저녁 9시 방탄멘탈공식 SNS 공유

158. 5번째 책 2022년 나다운 방탄사랑

159. 2023 나다운 방탄멘탈 2

160. 2024 나다운 책 쓰기(100년 가는 책)

161. 2025 유튜버가 아니라 나튜버

(100년 가는 나튜버)

162. 2026 나다운 강사3(Q&A)

163. 2027 나다운 명언

164. 2029 나다운 인생(50살 자서전)

165. 줌 화상 기법 강의, 코칭(최보규줌사관학교)

166. 언택트(비대면)시대에 맞게 아날로그 방식 80%를 디지털 방식 80%로 체인지

167. 변기 뚜껑 닫고 물 내리기

168. 빨래개기

169. 요리하기, 요리책 내기 위한 자료 수집

170. 화장실 물기 제거

171. 부엌 청소, 집 청소, 화장실 청소

172. 사랑해 100번 표현하기

173. 아내에게 하루 마무리 안마 5분 해주기

174. 헌혈 2달에 1번

175. 헌혈증 기부

176. 네 번째 책 행복 히어로 책 출간

177. 극단적인 선택률, 이혼율 낮추기 위한 교육 시작

178. 행복률 높이기 위한 교육 시작

179. 다섯 번째 책 원고 작업 시작

180. 여섯 번째 책 자료 수집

181. 운전 중 양보 해 줄 때, 받을 때 목례로 인사하기.

182. 다섯 번째 책 나다운 방탄습관블록 출간

183. 습관사관학교 시스템 완성

184. 습관 코칭, 교육 시작

185. 아침 8시, 저녁 9시 습관 메시지 sns 공유

186. 습관 전문가 되어 무료 케어 상담 시작

187. 습관 콘텐츠 유튜브〈행복히어로〉에 무료 오픈

188. 여섯 번째 책 원고 작업 시작

189. 최보규상(대한민국 노벨상) 버킷리스트 설정

190. 2037년까지 운영진, 자금(상금), 시스템 완성 목표 설정

191. 최보규상을 1,000년 동안 유지하기 위한 공부

192. 일곱 번째 자존감 책 원고 작업

193. 여덟 번째 책 쓰기 책 자료 수집, 공부

194. 앉아서 일할 때 50분의 한번 건강 타이머 누르기

195. 세계 최초 자기계발쇼핑몰
    (www.자기계발아마존.com)

196. 온라인 건물주 분양 시작
    (월세, 연금성 소득 올릴 수 있는 시스템)

197. 일곱, 여덟 번째 책 축간
    (나다운 방탄자존감 명언 Ⅰ,Ⅱ)

198. 자기계발코칭전문가 1급, 2급 자격증 교육 시작

199. 방탄자기계발사관학교 Ⅰ,Ⅱ,Ⅲ,Ⅳ 4권 출간

200. 2021년 목표였던 9권 책 출간 달성!

201. 하루 3번 호흡 스펙 습관 쌓기 시작
    (코 8초 마시고, 5초 멈추고, 입으로 8초 내뱉기)

202. 장모님께 출간 한 책 12권 드리기

203. 2022년 최보규의 책 쓰기9 원고 작업 시작

204. 100만 프리랜서들 도움주기 위한 프로젝트 시작

205. 방탄 자존감 코칭 기술

206. 방탄 자신감 코칭 기술

207. 방탄 자기관리 코칭 기술

208. 방탄 자기계발 코칭 기술

209. 방탄 멘탈 코칭 기술

210. 방탄 습관 코칭 기술

211. 방탄 긍정 코칭 기술

212. 방탄 행복 코칭 기술

213. 방탄 동기부여 코칭 기술

214. 방탄 정신교육 코칭 기술

215. 꿈 코칭 기술

216. 목표 코칭 기술

217. 방탄 강사 코칭 기술

218. 방탄 강의 코칭 기술

219. 파워포인트 코칭 기술

220. 강사 트레이닝 코칭 기술

221. 강사 스킬UP 코칭 기술

222. 강사 인성, 멘탈 코칭 기술

223. 강사 습관 코칭 기술

224. 강사 자기계발 코칭 기술

225. 강사 자기관리 코칭 기술

226. 강사 양성 코칭 기술

227. 강사 양성 과정 코칭 기술

228. 퍼스널브랜딩 코칭 기술

229. 방탄 리더십 코칭 기술

230. 방탄 인간관계 코칭 기술

231. 방탄 인성 코칭 기술

232. 방탄 사랑 코칭 기술

233. 스트레스 해소 코칭 기술

234. 힐링, 웃음, FUN 코칭 기술

235. 마인드컨트롤 코칭 기술

236. 사명감 코칭 기술

237. 신념, 열정 코칭 기술

238. 팀워크 코칭 기술

239. 협동, 협업 코칭 기술

240. 버킷리스트 코칭 기술

241. 종이책 쓰기 코칭 기술

242. PDF 책 쓰기 코칭 기술

243. PPT로 책 출간 코칭 기술

244. 자격증 교육 커리큘럼으로 책 출간 코칭 기술

245. 자격증 교육 커리큘럼으로 영상 제작 코칭 기술

246. 책으로 디지털콘텐츠 제작 코칭 기술

247. 책으로 온라인 콘텐츠 제작 코칭 기술

248. 책으로 네이버 인물 등록 코칭 기술

249. 책으로 강의 교안 제작 코칭 기술

250. 책으로 민간 자격증 만드는 코칭 기술

251. 책으로 자격증 과정 8시간 제작 코칭 기술

252. 책으로 유튜브 콘텐츠 제작 코칭 기술

253. 유튜브 시작 코칭 기술

254. 유튜브 자존감 코칭 기술

255. 유튜브 멘탈 코칭 기술

256. 유튜브 습관 코칭 기술

257. 유튜브 목표, 방향 코칭 기술

258. 유튜브 동기부여 코칭 기술

259. 유튜브가 아닌 나튜브 코칭 기술

260. 유튜브 영상 제작 코칭 기술

261. 유튜브 영상 편집 코칭 기술

262. 유튜브 울렁증 극복 코칭 기술

263. 유튜브 썸네일 디자인 제작 코칭 기술

264. 유튜브 콘텐츠 제작 코칭 기술

265. 유튜브 수입 연결 제작 코칭 기술

266. 유튜브 영상 홍보 코칭 기술

267. 홈페이지 무인시스템 연결 제작 코칭 기술

268. 홈페이지 자동 결제 시스템 제작 코칭 기술

269. 홈페이지 비메오 연결 제작 코칭 기술

270. 홈페이지 렌탈 시스템 제작 코칭 기술

271. 홈페이지 디자인 제작 코칭 기술

272. 홈페이지 제작 코칭 기술

273. 재능마켓 크몽 PDF 입점 코칭 기술

274. 재능마켓 크몽 강의 입점 코칭 기술

275. 재능마켓 크몽 이미지 디자인 제작 코칭 기술

276. 재능마켓 크몽 입점 영상 제작 코칭 기술

277. 재능마켓 크몽 입점 영상 편집 코칭 기술

278. 재능마켓 크몽 VOD 입점 코칭 기술

279. 클래스101 영상 입점 코칭 기술

280. 클래스101 PDF 입점 코칭 기술

281. 클래스101 이미지 디자인 제작 코칭 기술

282. 클래스101 영상 제작 코칭 기술

283. 클래스101 영상 편집 코칭 기술

284. 탈잉 영상 입점 코칭 기술

285. 탈잉 PDF 입점 코칭 기술

286. 탈잉 이미지 디자인 제작 코칭 기술

287. 탈잉 영상 제작 코칭 기술

288. 탈잉영상 편집 코칭 기술

289. 탈잉 VOD 입점 코칭 기술

290. 클래스U 영상 입점 코칭 기술

291. 클래스U 영상 제작 코칭 기술

292. 클래스U 영상 편집 코칭 기술

293. 클래스U 이미지 디자인 제작 코칭 기술

294. 클래스U 커리큘럼 제작 코칭 기술

295. 인클 입점 코칭 기술

296. 자신 분야 콘텐츠 제작 코칭 기술

297. 자신 분야 콘텐츠 컨설팅 코칭 기술

298. 자기계발코칭전문가 1시간 ~ 1년 코칭 기술

299. 강사코칭전문가, 리더십코칭전문가 1시간 ~ 1년 코칭 기술

300. 온라인 건물주 되는 코칭 기술

301. 강사 1:1 코칭기법 코칭 기술

302. 전문 분야 있는 사람 1:1 코칭 기법 코칭 기술

303. CEO, 대표, 리더, 협회장 품위유지의무 코칭 기술

304. 은퇴 준비 코칭 기술

305. 2023년 나다운 방탄리더십 1, 2, 3, 4, 5 출간

306. 나다운 방탄리더십 아침, 저녁 메시지 시작

307. 강사코칭전문가 자격증 시스템 시작

308. 방탄 리더십 원고 작업 시작

309. 방탄 리더 자존감 원고 작업 시작

310. 방탄 리더 멘탈 원고 작업 시작

311. 방탄 리더 습관 원고 작업 시작

312. 방탄 리더 행복 원고 작업 시작

313. 방탄 리더 자기계발 원고 작업 시작

314. 방탄 리더 코칭 원고 작업 시작

315. 마트에서 구입한 물건들 바코드 정렬해서 올리기

316. 장모님 머리 염색해 주기

317. 처남 금연, 금주 도와주기

318. 한 해 시작할 때 습관 영상 업로드

319. 결혼기념일 뺏지, 명찰 제작

320. 뒤꿈치 들기 운동 시작

작은 일도 무시하지 않고 최선을 다해야 한다.
작은 일에도 최선을 다하면 정성스럽게 된다.
정성스럽게 되면 겉에 배어 나오고
겉에 배어 나오면 겉으로 드러나고
겉으로 드러나면 이내 밝아지고
밝아지면 남을 감동시키고
남을 감동시키면 이내 변하게 되고 변하면 생육 된다.
그러니 오직 세상에서 지극히 정성을 다하는 사람만이
나와 세상을 변하게 할 수 있는 것이다.

<중용 23장>

방탄 리더 습관 보호막 학습, 연습, 훈련
상위 리더 10% 습관! 하위 리더 10% 습관!

나다운 방탄습관블록
227P ~ 230P

[4장 마음 습관 블록 33]
상위 10% 습관! 하위 10% 습관!

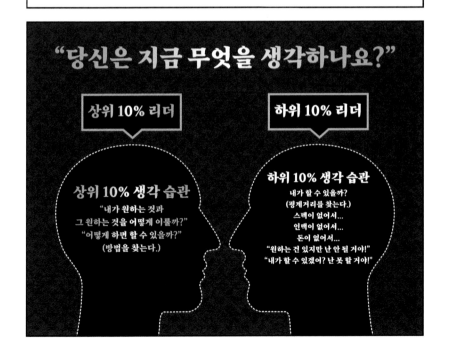

다음은 평상시 어떤 생각 습관을 많이 하느냐에 따라서 인생이 달라진다는 것을 깨닫게 해주는 스토리텔링이다.

당신은 지금 어떤 생각을 하고 무엇을 이룰 것인가?
미국 유수의 회사들이 힘을 합쳐 2,000만 달러를 투자, 정상에 있는 세일즈맨, 창업자, 기업인들이 평소에 어떤 생각을 하고 있는지 조사한 적이 있다.

인터뷰 대상자는 무려 35만 명이었고, 조사는 24개월 동안 진행되었다. 조사 방법은 간단했다. 일주일에 한 번씩 전화해서 "당신은 지금 무엇을 생각하나요?"를 물어보고, 일주일 후에 또다시 똑같은 질문을 하는 것이다. 시간이 흐르고 데이터가 쌓이면서 차츰 인터뷰 대상자들의 프로파일이 잡혀갔다. 최종적으로 소득을 기준으로 10퍼센트 단위로 구분해 보았다.
24개월 동안 35만 명을 대상으로 매주 한 번씩 "당신은 지금 무엇을 생각하나요?"라는 질문에 상위 10퍼센트는 어떤 대답을 했을까? 그들의 대답은 다름 아닌 "내가 원하는 것과 그 원하는 것을 어떻게 이룰까"였다.

대부분의 시간을 '내가 원하는 것과 그것을 어떻게 이룰까'를 생각하는 것!
상위 10퍼센트의 성취 비결은 바로 이런 생각을 매일

습관처럼 하는 것이었다.

《당신을 지금 무엇을 생각하는가》

■ 리더 습관 블록 쌓기! 3why? 기법!

- 첫 번째 왜? 어떻게 하면 상위 10% 생각을 벤치마킹할 수 있을까? 그리고 하위 10%는 어떤 생각을 할까?

- 두 번째 왜? 평상시 어떻게 하면 상위 10% 습관을 쌓을 수 있을까?

- 세 번째 왜? 지금 생활 속에서 사소하게 무엇부터 시작을 해야 상위 10% 습관 블록을 쌓을까?

♥ 방탄 리더 습관 전문가의 상위 10% 블록 쌓기

여기서 궁금증이 생기지 않은가? 하위 10%는 지금 어떤 생각을 많이 할까? 20,000명 심리 상담, 코칭 하면서 알게 된 것을 오픈하겠다. "원하는 건 있지만...세상이... 현실이...내 스펙에 안 되지...내 외모로 안 되지...내 주제에...난 안될 거야..."라고 부정의 질문만 하고 행동은 하지 않는다. 찔림이 있었다면 변화할 기회가 온 것이다.

필자가 했던 상위 10% 습관 블록 쌓기 시작은 이루고 싶은 것이 있다면 목표를 세우고 늘 어떻게 하면 할 수 있을까? 이 말을 되새기며 한 달에 15권 책 읽고 생활 속에서 도움이 되는 모든 것들을 네이버 메모장에 메모한다. 15년 동안 책 2,032권 읽고 7,626개의 메모를 했다. 읽고 메모한 덕분에 꿈이었던 책 한권 출간의 시작으로 2019년 ~ 2023년 까지 39권을 출간 할 수 있었다.

읽으면 꿈을 이룬다.
기록하면 꿈을 이룬다.
꿈을 이루는 시작은 긍정의 질문은
"어떻게 하면 할 수 있을까?" 다.
- 최보규 방탄리더십 전문가-

상위 10% 리더들은 목표, 방향, 이루고 싶은 것들이 머릿속에 있기에 행동으로 나오는 것이다.

하위 10% 리더들은 목표, 방향, 이루고 싶은 것들이 머릿속에 없기에 행동으로 나오지 않는 것이다.

사람은 망각의 동물이다. 머릿속에 있다고 계속 기억할 수가 없기에 상위 10% 리더들은 시각화를 잘한다. 그래서 기록이 기억을 이기고 기록이 꿈을 이루는 것이다.

다음은 시각화가 왜 중요한지를 깨닫게 해주는 스토리텔링이다.

당신의 꿈을 현실로 만드는 '시각화의 힘'
1982년 디즈니 월드의 두 번째 테마파크인 엡콧이 개장했다. 이때 월트 디즈니는 16년 전 세상을 떠난 뒤였다. 한 기자가 월트 디즈니의 부인 릴리안 디즈니에게 찾아가 이 굉장한 결과물을 살아서 보았으면 얼마나 좋았겠냐고 물었다. 그러자 릴리안이 말했다.
"아, 월트도 봤어요. 그것도 우리보다 훨씬 전예요."
세계 최고의 성취자들은 '꿈을 눈으로 보는 훈련'을 했다. 자신의 성취를 외부에서 사람들이 목격하기 훨씬 전에 자기 내부에서 먼저 목격하는 것이다.
꿈을 마음의 눈으로 보는 핵심 요소는 시각화 훈련이다.

시각화의 위력을 증명하는 사례는 월트 디즈니 외에도 셀 수 없이 많다.

전설의 골프 선수 잭 니클라우스는 경기를 시작하기 전에 항상 머릿속으로 경기 과정을 완성했던 것으로 유명하다.

"나는 연습할 때조차 머릿속으로 정확하고 명확하게 그리기 전에는 절대로 샷을 날리지 않습니다."

1987년 어느 날 밤, 희극배우로 단역을 전전하던 스물다섯 살의 청년은 낡은 도요타를 몰고 할리우드 힐의 멀홀랜드 드라이브로 갔다.

거기서 로스앤젤레스 시내를 굽어보던 그는 자신의 미래를 마음속에 그리며 1,000만 달러짜리 수표를 썼다.

1995년 추수감사절로 수령일을 명시하고 명목까지 기입했다. '출연료' 청년은 수표를 지갑에 넣고 다니며 수시로, 특히 일이 생각대로 잘 안될 때마다 꺼내서 보았다. 이 일화의 주인공은 바로 짐 캐리. 1995년 무렵 실제로 그는 난리법석을 떨며 배꼽 빠지게 하는 바보 캐릭터로 〈에이스 벤츄라〉, 〈마스크〉, 〈덤앤더머〉를 연이어 성공시켰다.

세 영화는 전 세계적으로 5억 5,000만 달러를 벌어들였고, 새롭게 떠오른 슈퍼스타로서 영화 편당 최고 2,000만 달러까지 출연료를 받았다.

세계적으로 유명한 자기계발 작가 브라이언 트레시는 이렇게 말했다.

"삶의 형상은 항상 마음속 그림의 형상에서 시작된다. 마음속 그림이 유도장치가 되어 그 그림을 실현하는 방향으로 우리의 행동을 이끌기 때문이다."

성공하는 사람들은 자기가 되고 싶은 사람과 자기가 살고 싶은 삶의 이미지를 항상 생각하는 사람들이다.

달 표면을 걸은 최초의 인물인 닐 암스트롱은 어릴 때부터 마음속 그림을 갖고 있었고, 재계의 거물 콘래드 힐튼은 흉물스런 건물에 근사한 힐튼 호텔을 덧씌웠다.

올림픽 10종 경기 금메달리스트인 브루스 제너는 금메달을 따기 전 2년 동안 금메달을 따는 장면을 매일같이 상상했다. 꿈을 이루려면 반드시 자기가 바라는 자아 이미지에 매달려야 하지, 바라지 않는 이미지를 생각해서는 안 된다. 그 이미지에 따라 우리의 행동과 실천이 달라지기 때문이다. 바라는 이미지를 꾸준하게 품으면 행동과 실천이 저절로 바뀌어 더 나은 자기를 창조하는 데 도움이 된다. 시각화는 마음의 눈으로 관념적인 그림을 그리는 작업이다. 반드시 경험하고 싶은 일을, 이루고 싶은 목표를, 살고 싶은 삶을 시각화하라. 상상 속에서는 결코 실패할 필요가 없다. 마음의 눈으로 성공을 그리면 성공하는 습관이 든다. 그것이 곧 당신의 성공의 '미리 보기'이다. 목표를 정하고 밤낮으로 생각하고 또 생각하라. 목표를 성취하는 순간에 보게 될 모든 감각을 상상하라. 당신의 환상은 현실이 될 것이다.

《13+1 기적》

시각화 5단계

1단계: 나의 비전을 찾아라.

그 비전이 가짜 비전이 되면 안 된다. 내가 그 비전을 그려 봤을 때 가슴이 뛰지 않거나 와닿지 않으면 가짜 비전이다. 남의 비전이다.

예를 들어서 "돈 많으면 진짜 좋아" 그게 가슴이 뛰지 않으면 내 비전이 아니다. "돈 아무리 많아도 인간관계, 가족 화목한 게 최고야!"

1단계 나의 비전이 없으면 2단 ~ 5단계 다 의미가 없다. 시각화에 반드시 내가 포함되어야 한다. 자동차, 집, 사업장..내가 타고 있는 모습, 내가 살고 있는 모습, 내가 일하고 있는 모습...시각화를 못 하는 사람들은 자신을 포함하지 않는다. 지금의 나는 시궁창 같고, 보잘 게 없고 너무 거리가 멀기 때문에 대입을 못 한다.

물질적인 것 배경만 해놓는다. 그것은 영화 보는 것과 똑같다. 내가 들어가 있지 않고 영화 보는 거와 같다. 그래서 가슴이 뛰지 않는다.

근데 그게 영화라고 했을 때 내가 거기에서 연기를 하고 있다고 시각화하면 가슴이 뛴다. 시각화는 내가 반드시 들어가야 한다.

2단계: 대부분 2단계를 무시한다. 내가 결정을 해야 한다. 내가 시각화한 것들을 "만들겠다. 되겠다. 그 모습으로 살겠다." 결정을 해야 한다.
그 결정이 없으면 그냥 바라는 거다. 대부분 이 단계를 무시하고 넘긴다.

3단계: 결정을 내렸으면 실천.
거기에 필요한 스킬(기술)들을 익혀야 한다. 연마를 해야 한다. 사람, 전문가, 기술을 습득할 수 있는 배움, 교육, 지식을 쌓는 것...스킬(기술)을 쌓기 위한 모든 것
이 모든 것이 시각화한 그 사람이 되기 위한 것이다. 그럼 내가 어떤 사람을 만나야 되지? 지금 뭘 하고 있어야 되지?

4단계: 내 시각화를 현실화해 줄 사람들을 적극적으로 찾아 나서야 한다.
시각화에 도움이 되는 직접적인 사람을 직접 만날 수 없다면 책으로 만나고, 영상으로 만나고 이건 만날 수 없을 때 하는 것이다. 만나려고 노력을 해보고 적극적으로 만나려고 해야 한다. 직접 만나는 시간이 안 될 때 책, 영상을 보는 것이다. 그 사람 일하는 곳에 가서 일

을 한다거나 그 사람과 연관된 것을 찾아서 적극적으로 만나려고 해야 한다.

5단계: 나의 비전이 편하게 그려질 때까지 불편함에 나를 던져야 한다.

2, 3, 4단계가 자신에게 편하지 않은 것들이다. 왜 그러냐면 내 지금 삶과 내가 시각화하는 삶은 완전히 다른 삶, 사람이기 때문이다.

내가 운동을 하더라도 불편하고 아프고 해야 근육을 키울 수 있기에 삶이 바뀌는 것이기 때문에 하루하루 불편함에 내 몸을 던지면서 발전을 해나가야 한다.

2, 3, 4, 5단계 없이 1단계만으로 시각화는 안 된다.

<유튜버 제이> <유튜브 제이&리아 클립 저장소>

■ 리더 습관 블록 쌓기! 3why? 기법!

- 첫 번째 왜? 어떻게 하면 시각화 5단계를 할 수 있었을까?

- 두 번째 왜? 평상시 어떻게 하면 나다운 시각화 5단계를 만들 수 있을까?

- 세 번째 왜? 지금 생활 속에서 사소하게 무엇부터 시작을 해야 시각화 습관을 쌓을 수 있을까?

자신의 시각화를 실천하게 만드는 강력한 툴을 알려주 겠다. 필자도 이 기법으로 시각화를 만들어 결과를 지속 적으로 내고 있다.

메이저리그 100년 역사에 한 번 나올까 말까한 선수인 오타니 쇼헤이 선수가 고등학교 때부터 했던 만다라트 기법을 소개한다.

메이저리그 100년 역사에 한 번 나올까 말까 한 선수! 괴물 투수일까? 괴물 타자일까? 2018년 메이저리그에 진출하여 선발투수로 등판해 첫 승리를 거둔 이 선수는

다음 날, 그리고 그다음 날 이번에는 타자로 출전하여 3점, 2점 홈런을 때린다. 투타를 모두 섭렵한 그를 두고 사람들은 '이도류'라고 부른다.

투수와 타자, 두 개의 무기를 가진 선수
시속 160km의 강속구를 뿌리는 타자
만화 주인공도 이런 식이면 욕먹는다!

그의 이름은 '오타니 쇼헤이' 일본 프로야구의 아이콘이자 2018년 메이저리그에서 가장 주목받고 있는 신입이다.

조금 이른 감이 있지만 2018년 메이저리그 신인왕은 이미 결정되었고, 메이저리그 100년 역사에 한 번 나올 정도의 선수라고 평가 되고 있다. 오타니가 이렇게 성장할 수 있었던 비결은 과연 무엇일까?
많은 사람들이 스포츠는 결국 재능의 영역이라고 생각한다. 그러나 오타니의 자기 권리를 살펴보면 결코 타고난 재능의 결과가 전부가 아니라는 사실을 알 수 있다.

다음은 오타니가 고등학교 일 학년 때 세운 만다라트다.

오타니 쇼헤이가 하나마키히가시고교 1학년때 세운 목표 달성표								
몸 관리	영양제 먹기	FSQ 90kg	인스텝 개선	몸통강화	축을 흔들리지 않기	각도를 만든다	공을 위에서 던친다	손목강화
유연성	몸 만들기	RSQ 130kg	릴리즈 포인트 안정	제구	불안정함을 없애기	힘 모으기	구위	하체 주도로
스태미너	가동역	식사 저녁 7수저 (가득) 아침 3수저	하체강화	몸을 열지않기	멘탈 컨트롤 하기	볼을 앞에서 릴리즈	회전수 업	가동역
뚜렷한 목표,목적을 가진다	일희일비 하지않기	머리는 차갑게 심장은 뜨겁게	몸 만들기	제구	구위	축을 놀리기	하체강화	체중증가
핀치에 강하게	멘탈	분위기에 휩쓸리지 않기	멘탈	8구단 드래프트 1순위	스피드 160km/h	몸통강화	스피드 160km/h	어깨주위 강화
마음의 파도를 만들지않기	승리에 대한 집념	동료를 배려하는 마음	인간성	운	변화구	가동역	라이너 캐치볼	피칭을 늘리기
감성	사랑받는 사람	계획성	인사하기	쓰레기 줍기	부실 청소	카운트볼 늘리기	포크볼 완성	슬라이더의 구위
배려	인간성	감사	물건을 소중히 쓰자	운	심판분을 대하는 내도	늦게 낙차가 있는 커브	변화구	좌타자 결정구
예의	신뢰받는 사람	지속력	플러스 사고	응원받는 사람이 되자	책읽기	직구와 같은 폼으로 던지기	스트라이크에서 볼을 던지는 제구	거리를 이미지한다

(주) FSQ. RSQ는 근육 트레이닝용 머신 (출처) 스포츠닛폰

만다라트기법 일본 디자이너히로아키 가 '만다라'의 모양에서 영감을 얻어 고안한 것으로 목표를 이루기 위한 핵심과 그 핵심을 개선하기 위한 세부 항목을 작성하는 방법이다. 복잡하고 어지러워 보이지만 만다라트를 작성하는 것은 어렵지 않다.

만다라트작성법

우선 큰 도화지에 가로, 세로 9칸씩 모두 81칸의 사각형을 그린다. 만다라트 중앙에 올해 자기가 이루고자 하는 최종 목표를 적는다. 최종 목표를 중심으로 주변 8칸에 주제와 관련한 아이디어를 적는다.

각각의 아이디어를 소주제로 이를 달성하기 위한 구체적인 실천 계획을 세운다. 오타니는 고등학교 1학년 때 8구단 드래프트 1순위를 목표로 만다라트를 만들었다. 이를 실현시키기 위한 아이디어로서 몸만들기, 제구, 구위, 스피드, 변화구, 운, 인간성, 멘탈 8가지를 상정했고, 8개의 아이디어를 다시 하위 목표로 삼아 이를 실천하기 위한 구체적인 계획을 나열했다. 이를 본 사람들은 놀라움을 표시했는데, 구체적인 실천 사항이 일반인에게는 엄두도 안 나는 것이기 때문이었다.

몸만들기에서 FSQ 90kg이나 RSQ 130kg은 보통 사람으로서는 엄두가 안 나는 무게이고 야구와 관련한 것뿐만 아니라 운, 인간성 등 인성에 관한 내용까지 더해져 있었다. 특히 운이라는 것은 스스로 좌지우지할 수 없는 부분인데 어째서 만다라트에 들어가 있는 걸까?
그 세부적인 내용을 살펴보면 만다라트를 대하는 오타니의 자세를 엿볼 수 있다. 인사하기, 쓰레기 줍기, 청소하기 심판을 대하는 태도, 물건을 소중히 쓰기 등 일상에서 겪는 사소한 것들이 대부분이다.

운은 사람이 어쩔 수 없는 부분이지만, 일상이 작은 선행이 모여 운을 이룰 수 있다고 생각한 것이다. 작은 강이 모여 큰 바다를 이루듯 작은 것을 모아야 큰 걸 이룰 수 있다. 만다라트의 장점은 목표를 달성하기 위한 구체적인 실천 계획을 64개까지 확장해 궁극적인 목표를 달성하는 데 있다. 전문가들은 큰 목표를 이루기 위해서는 목표를 구체적으로 세분화하라고 주문하는데 만다라트기법은 이러한 조언을 가장 효과적으로 따를 수 있는 구체적인 출현 방법인 셈이다.

그러나 계획을 아무리 잘 세워도 이를 실천하지 않으면 빛 좋은 개살구에 불과할 뿐이다.

오타니는 이렇게 말한다. "무엇보다 중요한 것은 꾸준히 지속해서 해내는 것입니다."

오타니가 엄두도 안 나는 엄청난 계획을 세운 것도 대단하지만 더욱 대단한 것은 이렇게 세운 계획을 모두 실천하는 데 있다.

그는 고등학교 1학년 때 만다라트를 작성하고 꾸준히 '그릿'(성취하고자 하는 목표를 끝까지 해내는 힘)을 발휘해 이를 모두 이뤄냈다. "모든 인내와 노력을 하지 않는 존재는 이 세상에서 본 일이 없다." - 뉴턴 -

끈기, 어쨌든 일이 성취를 위해서는 선택의 여지가 없는 필수인 것이다. 끈기, 이것은 천고에 걸쳐 변치 않는 성공의 비결이다. 끈기만 있으면 바늘로도 우물을 팔 수 있다.

꼭 이루고 싶은 목표가 있다면 우리도 오타인처럼 만다라트를 작성해보자. 계획을 세우다 보면 그 과정에서 자신에 대해, 자신의 꿈에 대해 진지하게 들여다보게 된다. 그리고 계획을 세웠다면 열정을 갖고 온갖 어려움을 극복하며 지속적인 노력을 기울이자 오타니는 이를 통해 세계 최고의 야구 선수가 되었다. 만다라트를 통해 당신도 세계 최고가 될 수 있지 않을까?

<유튜브 스터디언>

■ 리더 습관 블록 쌓기! 3why? 기법!
- 첫 번째 왜? 어떻게 만다라트기법을 고1부터 할 수 있었을까?
- 두 번째 왜? 평상시 어떻게 하면 만다라트기법을 내 분야에 접목 할 수 있을까?
- 세 번째 왜? 지금 생활 속에서 사소하게 무엇부터 시작을 해야 만다라트기법을 활용해서 시각화 습관을 쌓을까?

세상에는 성공 공식, 행복 공식, 꿈을 이루는 공식이 많다. 하지만 공식들을 활용하여 나다운 공식으로 만드는 사람은 드물다. 더 늦기전에 시작해라.
필자가 만다라트기법을 활용하여 시각화 습관을 만들어서 결과를 내고 있는 것을 참고해서 벤치마킹하자!

2008년 만다라트기법 시각화 습관!

좋은글 1주일 4번	책갈피 선물	지인 생일 챙기자	오디언 1권	한달 7권	전공책	남과비교 줄이자	핑계 줄이자	금지 단어 5개 아원때시후
긍정의 말 하자	인간 관계	원망 하지 말자	상담책	책	1000권	긍정 근육키우자	멘탈	행복 근육키우자
먼저 도와 주자	약속 시간 늦지 말자	사랑 하자	선물책	기증책	중고책	감사 근육키우자	사람 인정 하자	기도
사랑의 전화	유치원 봉사	강의 재능기부	인간 관계	책	멘탈	녹음 피드백	강의 피드백정리	강의 동기 부여 찾기
봉사 정신 전달	봉사	봉사자 소개	봉사	행복한 인생	강의	강사 정신 키우자	강의	강사 11계명실천
봉사 정신 키우자	쓰레기 줍기	후배강사 피드백	자기 관리	메모	상담	강의 아이템연구	언행일치 하자	앵무새 강사 되지 않기
아침 저녁 얼굴스트레칭	박장대소 2회	한달 한번 등산	책 보고 느낀점 정리	SNS캡처	캡처 정리	행복 상담	강사 상담	상담 공부
아침 저녁 몸스트레칭	자기 관리	8시 이후 먹지 말자	오디언 메모	메모	강의자료 수집	상담 동영상	상담	지인 상담
밀가루 튀김, 기름진 음식 절제	영양제 챙기자	계단이용 뱃살 운동	녹음정리	메모 아낌 없이 주자	출판책 내용	상담 멘탈 키우자	정신력 키우자	측은 지심

2023년 만다라트기법 시각화 습관!

도움 되는 글 SNS 공유	만나는 사람에게 선물	지인 생일 챙겨주기 (가프티콘)	한달 15권	50살 3000권	책 메모 메모 글 출간	남과 비교 줄이자	금지 단어 7개 아원때시후성실	핑계 줄이자
욕, 탓 부정적인 말 하지 않기	인간 관계	1:2:7법칙 먼저 맞춰 주자	출간할 책 핵심만 SNS 공유	책	1년마다 책 한권 출간	보는 것 말하는 것 듣는 것 가리자	멘탈	자존심, 체면 90% 내려놓자
먼저 도움 주자	약속 시간 늦지 않기	행복, 사랑주기 위해 사소한 것 챙기자	책 읽는 노하우 전수	아침에 책 듣기	50살 100권 출간	감사 근육 키우자	멀 해도 욕먹는 세상	161가지 습관 실천
상담 봉사	강의 재능 기부	봉사자 소개	인간 관계	책	멘탈	강사 삼성 높이자	작가 삼성 높이자	유튜버 삼성 높이자
함께 잘 살기 위한 마인드 교육	봉사	사랑의전화 후원	봉사	행복한 인생	7G (7직업)	출판사 대표 삼성높이자 (1인의 저분의 소위의)	7G (7직업)	상담사 삼성 높이자
봉사,기부,나눔 마인드 업데이트	쓰레기 버리지 않기 줍기	후배강사 피드백 봉사	자자자자 멘습긍	사랑	심리 상담사	7직업 업데이트 꾸준히 하자	코칭 전문가 삼성 높이자	한집에 가장 역할 충실하자
자존감 업데이트	자신감 업데이트	자기관리 업데이트	모든 행복 시작은 가정	아내 행복이 0순위	남편13계명 실천	행복률 높이자	이혼률 낮추자	자살률 낮추자
긍정 업데이트	자자자자 멘습긍	자기계발 업데이트	화장실 청소하기	사랑	앉아서 소변보기	행복사관학교 활성화시키자	심리 상담사	우울률 낮추자
긍정 업데이트	습관 업데이트	멘탈 업데이트	음식물 쓰레기 버리기	빨래 개기	변기 뚜껑 닫기	심리책 보기 주기적 업데이트	정신력 단련하자	측은지심 갖자

방탄 리더 습관 코칭

✔일시, 시간

▶ 수시 모집 (상담)

▶ 13:00 ~ 18:00 (기본 5시간)

시간 조정 가능!(10H, 15H, 20H)

✔내용

1. 리더 습관 공식 (학습, 연습, 훈련)
2. 리더 몸 습관 블록 쌓기 (학습, 연습, 훈련)
3. 리더 머리 습관 블록 쌓기 (학습, 연습, 훈련)
4. 리더 마음(방탄멘탈)습관 블록 쌓기 (학습, 연습, 훈련)
5. 리더 습관 종합검진
6. 리더 습관 처방전과 실천 동기부여 (학습, 연습, 훈련)

✔자기계발 비용, 인원

▶ 비용 상담

▶ 1:1 코칭(온,오프라인)

✔장소, 상담

▶ 장소 상담 후 상황에 따라 변동 사항

▶ 한 번의 상담이 인생 터닝포인트

150년 A/S, 관리, 피드백

최보규 원장 010-6578-8295

방탄리더사관학교

BULLETPROOF LEADER MILITARY ACADEMY

리더 행복과

<저자 최보규>

리더 행복 심폐소생술! 리더 행복 초등학생,
리더 행복 중학생, 리더 행복 고등학생, 리더
행복 전문 학사, 리더 행복 학사, 리더 행복 석
사, 리더 행복 박사, 리더 행복 히어로

- 리더 행복 심폐소생술! 리더 행복 초등학생, 리더 행복 중학생, 리더 행복 고등학생, 리더 행복 전문 학사, 리더 행복 학사, 리더 행복 석사, 리더 행복 박사, 리더 행복 히어로

★ 리더 불행 유효기간? 리더 행복 유효기간?

다음은 불행, 행복 유효기간이 있다는 것을 심리학적 근거를 통해 깨닫게 해주는 스토리텔링이다.

행복과 불행의 유효기간?

어느 날 50억 원짜리 복권에 당첨됐다면 기분이 어떨까요. 완전 대박이죠. 이제 고생 끝 행복 시작입니다. 50억 원으로 무엇을 살지, 어디로 여행을 떠날지, 현재 하는 일을 언제 그만둘지 리스트를 작성하느라고 잠도 못 자고 행복한 고민에 빠질 것입니다.

어느 날 사랑하는 친구의 부고를 받았다면 기분이 어떨까요. 엄청난 충격에 빠질 것입니다. 그 친구와의 오랜 인연과 추억들이 생각나서 비통한 마음으로 몇 날 며칠을 술로 밤을 지새울 것입니다.

그런데 복권 당첨의 행복한 기분과 친구 죽음의 불행한 기분은 얼마나 유지될까요? 행복과 불행의 유효기간이 있을까요? 결론부터 말하면 유효기간은 있습니다.

50억 원이면 평생 행복하고, 친구가 죽었으면 평생 불행할까? 이 질문에 대한 답은 하버드대학교 심리학과 댄 길버트 교수가 제시합니다. 그의 연구 결과에 따르면 행복과 불행의 유효기간은 3개월이라고 합니다. 3개월이 지나면 예전과 마찬가지로 행복하거나 불행하다는 것입니다. 그것을 쾌락의 쳇바퀴(Hedonic treadmill)라고 부릅니다. 즉 50억 원의 복권이 당첨돼도 3개월이 지나면 50억 원 때문에 더 이상의 행복은 지속되지 않고, 친구의 죽음이 주는 비통한 슬픔도 3개월이 지나면 다시 웃으면서 일상생활을 한다는 주장입니다.

일반적인 상식으로는 50억 원이나 갖고 있는 부자가 예전의 상태로 돌아가서 불행하고 우울하게(예전에 그의 성격이 습관적으로 불행하고 우울했다면) 살아간다는 것이 쉽게 이해가지 않을 것입니다.

그러나 자신이 보유하고 있는 유형의 자산이 주는 행복의 한계는 있는 것이 분명합니다. 엄청난 자산을 갖고 있음에도 불구하고 극단적인 선택을 하는 사람들이 그것을 입증합니다. 엄청난 자산을 보유하고 있던 재벌도, 돈과 인기가 넘치던 연예인도, 심지어 명예의 최고까지 가보았던 전직 대통령조차도 자신의 처지를 비관해서 스스로 목숨을 끊는 것입니다.

작은 것에도 행복해하며 매사를 긍정적으로 사는 사람은 풍족하지 않음에도 비교적 행복하게 살아가고, 충분히 많이 갖고 있음에도 불구하고 자신을 다른 사람과 견주어서 스스로를 불행하게 생각하고 부정적으로 생각하는 사람들은 또다시 불행하게 살아간다는 것입니다.

그렇다면 행복하게 사는 시간을 늘리는 방법은 없을까

요. 있습니다. 바로 습관입니다. 관성의 법칙에 따르면 정지해 있는 물체에 힘을 가하지 않으면 정지해 있는 물체는 언제까지나 정지해 있고, 운동하고 있는 물체는 언제나 운동을 계속합니다. 사람도 마찬가지입니다. 남들과 비슷한 보통의 상황을 습관처럼 비관하는 사람이 있는가 하면 보통의 상황을 습관처럼 낙관하는 사람도 있습니다. 결국 습관이 행복과 불행을 결정하는 셈이죠.

인생에서 행복을 얻기 위해 현자들이 습관처럼 활용했던 다음 두 가지 팁을 벤치마킹할 가치가 있습니다.

첫째, 현재에 감사하라.
건강한 정신과 육체, 사랑하는 가족과 친구, 급여는 만족스럽지 않지만 일할 수 있는 직장이 있다는 그 사실에 감사합니다. 건강과 가족, 친구와 직장은 늘 있을 것이라고 생각하기 때문에 우리는 감사한 것을 모르고 지내다가 어느 날 예고도 없이 사라진 다음에야 비로소 감사한 것을 느끼게 되죠. 감사하다 보면 감사가 습관이 됩니다. 가진 것이 남보다 적지만 그것이라도 있음을 감사하게 되죠. 힘든 일이 삶을 덮칠 때도 '더 험한 일이 아니어서 다행이야'라고 감사하게 됩니다. 그런 사람은 행복한 시간이 늘어납니다.

둘째, 남과 비교하지 마라.

남과 비교하기 시작하면 스스로를 평가절하하게 됩니다. 자신의 능력과 상태를 과소평가하게 됩니다. 자신은 우주에서 가장 소중한 존재이지만, 자신이 갖고 있지 않은 것과 타인이 갖고 있는 것을 비교하기 시작하면 볼품없는 존재로 전락하게 됩니다. 객관적으로 보기에도 충분히 갖고 있는데도 불구하고 남과 비교하기 때문에 남보다 부족하게 느끼죠. 거기에서 오는 상실감은 곧 불행으로 이어지게 됩니다.

댄 길버트 교수의 연구 결과는 한편으로는 위안을 줍니다. 억장이 무너지는 아픔이 인생을 덮쳐도 예전의 상태로 돌아가는 것은 3개월이면 가능하다는 사실이지요.

그러고 보면 눈앞에 닥친 아픔 때문에 너무 낙심할 일도 아닙니다. 그나마 더 큰 일이 아니었음에 감사하면서 살아간다면 머지않아 행복한 일이 또 나에게 다가설 것입니다. 고통스러워도 3개월만 참아보자고요.

<송진구 인천재능대 교수>

습관이 만들어지는 시기는 21일이고 몸에 익숙해지는 시기가 3개월이라고 했다. 3개월(평균 100일)이라는 시간은 인간의 심리, 감정이 적응하는 시기이고 사람, 상황에 적응하게 만드는 과학적으로 검증된 시간이다. 그래서 평균적으로 회사 수습 기간이 3개월이고 군대도

100일 휴가가 있는 것이다.

리더라면 사람을 많이 만나는 직업을 가지고 있다면 사람 심리, 인간관계 심리를 선택이 아닌 필수로 학습, 연습, 훈련해야 한다. 꼰대십(리더병)이 나오는 리더는 사람 심리, 인간관계 심리를 전혀 모르기 때문에 생기는 것이다. 직원의 심리, 감정은 전혀 신경을 쓰지 않고 리더 자신 심리, 감정에만 충실하기 때문에 꼰대십(리더병)이 발생한다. 리더를 따르는 사람의 가족, 팀원, 조직체의 행복률을 높이기 위해서는 리더 자신 행복률을 올려야만 가족, 팀원, 조직체의 행복률이 올라간다. 어떻게 하면 가족, 팀원, 조직체의 행복 유효기간을 높이고 불행 유효기간을 줄일 것인가? 끊임없이 고민, 생각을 해야 한다. 변화, 성장, 배움, 어제보다 0.1% 나음, 함께를 위한 고민, 생각들은 독이 아닌 득(복)이 되는 스트레스다.

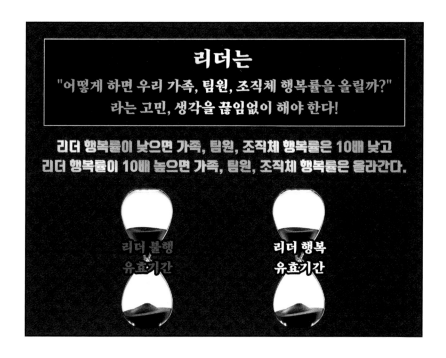

다음은 행복(면역력)을 초고속으로 올려주는 방법을 깨닫게 해주는 내용이다.

"덜 자극적인 행복" 좋은 면역 끌어올리는 방법!
스트레스 면역 파이터!

희로애락 아시죠? 첫 번째 희는 무슨 희 일까요? 기쁠 희이고 네 번째 락은 즐거울 락입니다.
여기서 질문. 기쁠 희와 즐거울 락은 뭐가 다를까요?
비유를 들게요. 카드놀이를 하는데 원하는 패가 떴어요.
그럴 때 우와! 하는 느낌. 다음은 강아지를 쓰다듬으면서 행복한 느낌. 둘의 기쁨은 완전 다릅니다.

아드레날린이 분비되는 긴장형 쾌락! 내기나 주식에서 대박 터졌을 때 느끼는 격한 희열! 이런 것들이 기쁠 희입니다.

즐거울 락은 이완형 쾌락! 맛있는 밥을 먹고 졸릴 때. 엄마가 머리를 쓰다듬어 줄 때. 우리 일상 속 잔잔하게 스며드는 평온한 행복. 근육이 풀리는 즐거움이 즐거울 락이다.

현대인들의 문제는 기쁠 희를 추구합니다. 아드레날린이 팍팍 분비되고 자극적인 것들 격한 자극이 잦아든 후엔 염증이 생기고 몸이 아프고 몸이 상한다. 그래서 우리가 건강하려면 즐거울 락을 추구해야 합니다. 소확행! 아드레날린 말고 세로토닌, 옥시토신 이런 좋은 호르몬이 나와야 합니다. 일상에서 느끼는 덜 자극적인 행복들이 자신의 몸의 면역을 확 끌어올립니다. 기쁠 희보다는 즐거울 락이 중요합니다.
<SBS 집사부일체 홍혜걸>

인생에서 4계절은 자연의 이치처럼 오듯이 인생의 희로애락은 자연의 이치처럼 온다. 한 가지만 집중한다고 되

176

는 것이 아니라는 것이다. 무조건 오는 인생의 희로애락이라는 계절을 계절에 맞춰 옷을 준비하듯 행복 학습, 연습, 훈련으로 준비를 해야 하는 것이다.

행복 학습, 연습 훈련을 꾸준히 할 때 불행 유효기간은 짧아지고 행복 유효기간은 늘어나는 것이다.
행복 학습, 연습, 훈련은 선택이 아닌 필수다. 행복도 스펙이다!

★ 오늘 리더, 가족, 팀원, 조식체 원들의 행복은 내일로 이월이 되지 않는다?

다음은 불행한 인생을 사는 사람들의 공통점을 알려주는 내용이다.

즐거움이 삶의 방식을 결정한다.
이 형편없는 직장을 그만두면 이기적인 연인과 헤어지면 좀 더 활기찬 도시로 이사하면 비로소 여유를 찾고 인생을 즐길 수 있을 거야. 돈을 좀 더 벌고 나면, 살을 좀 빼고 나면 사랑하는 삶을 만나게 되면 내 상황이 좀 더 당당해지면 현재의 불행이 사라질 거야.

보이는가? 당신은 현재의 문제가 해결되지 않는 한 즐거움은 없다는 것을 전제로 둔 것이다. 다음은 이런 삶의 태도는 아직은 때가 아닌 삶을 나열한 것이다. 이 중 익숙한 것은 없는지 찾아보기를 바란다.

1. 이일로 경기가 좋아지면

2. 특별한 영감을 받으면

3. 누군가 내가 무엇을 해야 할지 알려주면

4. 저축을 좀 더 하면

5. 아이들이 대학을 가면

6. 생활이 좀 나아지면

7. 살을 좀 빼고 나면

8. 내가 도움 받을 수 있는 인간관계가 형성되면

9. 힘든 직장을 그만두면

10. 좀 더 자신감이 생기면

11. 이 프로젝트만 끝내면

12. 좀 더 넓고 깨끗한 집으로 이사하면

13. 올해가 지나면

14. 워크숍을 몇 개 더 참석하고 나면

15. 지금보다 건강해지면

16. 허락을 받으면

17. 완벽하게 확신이 서면

18. 남을 용서하고 남에게 용서 받으면

19. 분명하고 명확한 계획을 세우면

20. 능력의 한계를 인정하고 사고를 극복하면

아직은 때가 아닌 이런 사고방식은 우연히 얻을 수 있는 이득까지 막아버린다. 삶의 부족한 부분만 보면서 무엇이든 차일피일 미루고 나쁜 습관과 쓸데없는 걱정을 반복한다. 기회가 와도 보지 못하고 삶을 변화로 이끌 작은 행동도 하지 못한다. 동시에 행동의 변화 자체를 값비싼 것으로 변질시킨다. 즐거움을 만끽하고 새로운 일을 시작하려면 문제가 먼저 해결돼야 한다고 생각한다. 그러니 아직은 아무것도 시작하고 싶지 않다.

《1천 개의 성공을 만든 작은 행동의 힘》

자신의 행복, 변화, 성장 배울 수 있는 상황들이 많은데 "그것이 되면 그때 하겠어."라는 부정의 평계로 부정의 합리화를 시켜 자신이 자신을 방해하는 안타까운 상황이 벌어진다.

하는 일마다 된다. 안 된다. 시비를 걸어오는 거추장스러운 사람이 있었다. 가는 길이면 어김없이 나타나 발목을 잡고 속을 뒤집어놓는 잡놈이 아닌가? 이 사람만 없다면 한번 해볼 만한데 답답하도다. 가슴만 치고 있을 뿐이었다. 그런데 어느 날 그 웬수란 놈이 벙거지를 깊이 눌러쓰고 홀로 걸어가는 것이 아닌가. 이 기회에 저

놈을 처치해버려야겠구나. 잘 됐다 싶어서 벙거지를 벗기고 후려치려는 순간, 아니 이게 누구란 말인가? 이 잡놈이 바로 내가 아닌가? 우리가 어리석을 때는 세상을 정복하기를 원한다. 그러나 우리가 지혜로울 때는 자신을 정복하기를 원한다.

《리더십의 법칙》

인생은 세상, 현실, 주위 사람들이 방해하는 것보다 자신이 자신을 방해하는 경우가 더 많다. 자신의 적은 누굴까? 자기 자신이다. 그 또라이가 아니다. 리더들이 착각 하는 것들이 있다 "저 직원만 나가면 행복할 거야? 저 또라이 직원만 나가면 우리 조직체는 행복할 거야?" 세계인구 80억 명이다. 그렇다면 또라이는 80억 명이다.

자신과 맞는 사람이 몇 명이나 되겠는가? 또라이 직원 나가면 어떤 직원이 들어오는지 아는가? 더한 또라이가 들어온다. 인생의 진리다. 리더가 그 또라이라면 답이 안 나온다.

다음은 사랑하는 사람이 상대방을 행복하게 해주는 사람인지 불행하게 해주는 사람인지 깨닫게 해주는 연구 데이터 스토리텔링이다.

노벨경제학상을 받은 카네만 교수는 '일상의 즐거움'을 행복의 가장 중요한 조건으로 생각했다. 그래서 사람들이 도대체 하루 중 언제 기분이 가장 좋은가를 구체적으로 조사했다. 피험자들에게 삐삐를 채워주고 매시간 신호를 보내줄 때마다 자신의 기분을 숫자로 표현하도록 했다. 연구 결과에서 아주 흥미로운 사실이 발견되었다. 30~40대 기혼 여성들의 '기분 그래프'에서 아주 특이한 현상이 나타난 것이다. 기분이 아주 좋다가도 어느 특정한 순간, 기분이 곤두박질치는 경향이 공통적으로 관찰되었다. 그 시간이 얼추 비슷했다. 그 시간에 누구와 무엇을 했는지 조사해보니 대부분 남편이 막 퇴근했을 때였다. 함께 있으면 행복해야 할 사람과 같이 있는 시간이 조금도 즐겁지 않다는 것이다. 일부일처제의 비극이다. 행복을 조작적으로 정의해보면, '하루 중 기분 좋은 시간이 얼마나 되는가에 의해 결정된다.'는 것이다. 기분 좋은 시간이 길면 길수록 행복하고 기분 좋은 시간이 짧으면 짧을수록 불행한 것이다.

《나는 아내와의 결혼을 후회한다》

위의 조사를 조직체로 바꿔보면 어떤 결과나 나올까? 모 조사에 의하면 리더가 없을 때 직원들의 능률, 행복률이 더 높아진다고 한다. 리더가 오히려 없는 것이 조직체에 득이 된다는 것이다. 직원의 행복을 지켜주는 리더가 되야 되는데 오히려 방해하는 리더가 된다면 조직체는 오래 가지 못한다. 직원이 행복하지 않은 가장 큰이유는 리더가 행복하지 않아서이고 리더가 또라이기때문이다.

또라이 총량 불변의 법칙
가설 1, 이 세상 어디든, 어느 조직이든 일정량의 '또라이'는 존재한다.
가설 2, 그런 또라이를 피해서 직장을 옮기거나 이사를 가더라도 그곳에서 새로운 또라이를 만나게 된다.
가설 3, 만일 내가 속한 조직에서 또라이 수가 현저히 적다 하더라도, 그 소수는 또라이 지수가 높으므로 또라이 총량에는 차이가 없다.

가설 4, 내가 속한 집단에 진정으로 또라이가 없다고 확신이 든다면, 그건 바로 당신이 또라이라는 증거다.

"그것이 되면, 그 또라이 직원이 나가면..."그것이 되면 하는 게 아니라 "그것이 안 되더라도 일단 하자! 그것이 되면 행복할 거야!" 가 아니라 "지금 행복하자! 지금 행복하자! 지금 행복하자!" "지금 행복하기 위해서 어떻게 해야 할까?"이 말을 구구단 공식처럼 외우고 다녀야 한다. 상대적 불행이라고 아는가? 20,000명 심리 상담, 코칭 하면서 알게 된 것은 행복하지 않은 사람들 90%가 상대적 불행 때문에 생긴다. 상대적 불행이란 자신에게 있는 것들이 누군가에 비하면 많은 것인데 불행한 사람들은 자신 보다 가진 것이 많은 사람, 행복한 사람이 아닌 행복해 보이는 사람들과 자신을 끊임없이 부정의 비교를 하여 상대적으로 불행하다고 느끼는 것이다. 자신이 얼마나 행복한지 모르고 불행해서 극단적인 선택을 한 스토리텔링을 들어 보고 행복의 본질을 다시 한 번 되새김질하길 바란다.

한 여자가 11층에서 뛰어내렸다.
10층에서는 금슬이 좋고 화목하다고 소문났던 부부가

치고받고 싸우는 게 보였고.

9층에서는 항상 밝고 유쾌하고 즐거워하던 남자가 쓸쓸히 우는 게 보였고.

8층에서는 남자들과 말도 섞지 않던 여자가 바람피우는 게 보였고.

7층에서는 건강하기로 소문났던 여자가 걱정어린 얼굴로 약 먹는 게 보였고.

6층에서는 나에게 돈 많다고 자랑하던 남자가 일자리 찾는 게 보였고.

5층에서는 듬직하고 정직했던 남자가 여자 속옷 입는 것을 보았고.

4층에서는 닭살 커플로 엄청 사랑했던 연인이 헤어지자며 싸우는 걸 보았고.

3층에서는 여자관계가 복잡하다던 할아버지가 혼자 쓸쓸이 죽어 있는 걸 보았고.

2층에서는 이혼하고 남편을 욕했던 여자가 남편을 그리워하는 것을 보았다.

11층에서 뛰어 내리기전 나는 내가 세상에서 제일 불행한 사람이라고 생각했는데...

지금 보니 사람마다 말 못 할 사정과 어려움은 누구나 다 있었다.

사실 나도 너무 불행한 건 아니었다. 방금 내가 보았던 사람들이 이젠 떨어지는 나를 보고 있다.

그들도 나를 보며 자기는 괜찮다고 자기 위안을 했을 거다. 알고 보면 사람들의 생활은 별다른 게 없다.

남의 떡이 커 보이는 것만큼 자신의 고통이 더 커 보이는 게 인간이지만, 당신의 행복을 책임질 사람은 당신밖에 없다.

《사랑할 때 알아야 할 것들》

출근길 바로 눈앞에서 버스를 놓친 당신 외 전국 12,689명, 친한 친구에게 배신당했다는 당신 외 전국 28,204명, 아침 샴푸 후 빠진 머리카락을 보며 한숨 쉬는 당신 외 전국 986,570명, 지나가다 갑자기 날아온 공을 맞은 당신 외 전국 4,473명, 세 번 사랑하고 세번째 이별 중인 당신 외 전국 12,043명, 지구상에서 스스로가 가장 억울하고 가장 안타깝고 가장 슬프고 불행하다고 느껴질 때 당신과 똑같이 가슴을 치고 잠 못 이루고 이불 덮은 채 눈물 흘리는 누군가가 있다는 것을 기억하세요.

힘들 때일수록 외롭다 느끼기 쉽지만 당신은 혼자가 아닙니다. 아파하고, 울고, 다시 일어서는 당신 외 전국 4,006,770명

《1cm art》

한 사람이 길을 걷다 구두끈이 풀어졌다.
구두끈을 다시 매다 무엇인가를 발견했다.
다섯 잎 클로버였다.

난생처음 보는 신기한 클로버였다.
그러나 못 본 척 지나쳐 버렸다.
행운일지 불행일지 알 수 없어서였다.

두 번째 사람도 구두끈이 풀어졌다.
그의 눈에도 다섯 잎 클로버가 들어왔다.
그러나 그는 망설이지 않았다.
다섯 잎 중 하나를 뜯어내 버렸다.
너무도 쉽게 네 잎 클로버를 갖게 되었다.
행운도 그의 것이 되었다.

《세븐 센스》

다섯 잎 클로버 스토리텔링을 듣고 어떤 메시지가 느껴지는가? 10,000명 중에 1% 빼고는 다 이렇게 느낀다? "나도 한 잎 뗄 수 있겠다. 너무 쉬운데? 그걸 못해? 뻔한 스토리네"라고 말하며 1초 느끼고 쓰레기 되어버린다. 리더라면 1%가 생각하는 것을 할 줄 알아야 한다. 1%의 리더는 방탄 리더 습관 블록 공식인 3why? 기법을 접목할 줄 안다.

■ 리더 습관 블록 쌓기! 3why? 기법!

- 첫 번째 왜? 어떻게 첫 번째 사람은 지나쳤는데 두 번째 사람은 다섯 잎 중 하나를 뜯어낼 수 있었을까?
- 두 번째 왜? 평상시 어떤 습관이 있었기에 똑같은 상황에서 자신에게 도움이 되는 행동을 할 수 있었을까?
- 세 번째 왜? 지금 생활 속에서 사소하게 무엇부터 시작을 해야 어려운 상황이 닥쳤을 때 긍정적으로 바라볼 수 있는 태도 습관을 쌓을까?

리더는 어렵고 힘든 상황에서 감정을 컨트롤하면서 상황을 긍정적으로 바라 볼 수 있는 방탄 리더십을 발휘해야 한다. 상황을 긍정적으로 볼 수 있는 안목들이 누적이 돼야 리더 행복률을 높일 수 있는 것이다.

세 잎 클러버 꽃말은 행운이고 네 잎 클러버 꽃말은 행복이다. 누구나 다 알 것이다. 그렇다면 퀴즈를 하나 내겠다. 바로 맞춘다면 당신의 행복률은 높다.

다섯 잎 클러버 꽃말은 무언지 아는가? 정답은 불행, 두려움이다. 《나다운 방탄습관블록》 책에 나오는 행복 습관! 행운 습관! 불행 습관! 내용을 참고한다면 좀 더 이해 될 것이다.

★ 블록 38 - 행복 습관! 행운 습관! 불행 습관!
세 잎 클로버 꽃말은 행복, 네 잎 클로버 꽃말은 행운입니다. 다섯 잎 꽃말은 엄청난 행운, 불행입니다. 대부분 알고 있는 세 잎 클로버의 중요성을 알리는 말은 "네 잎 클로버를 찾으려고 세 잎 클로버를 밟고 다닙니다."

생활 속에서 사소한 행복을 누릴 생각은 안 하고 행운만 기다리는 사람이 많습니다. 자신에게 없는 것을 바라며 그것이 있으면 행복할 거야 마음으로 늘 행복을 미룹니다.
오늘 행복은 단언컨대 내일로 이월이 안 됩니다. 하지만 세상 사람들은 마치 이월이 되는 것처럼 인생을 삽니다. 바라는 것을 이루면 나의 모든 행복을 누릴 수 있을 거야! 안타깝게도 바라는 것을 이루면 다시 이런 마음이 들 것입니다. 이건 나의 진정한 행복이 아니야. 좀 더 큰 것을 이루면...진짜 행복할 거야...악순환 반복으로 지금 행복할 수 있는데도 행복하기를 미루게 만드는 사람이 자기 자신이라는 것을 모릅니다.

행복한 사람은 고난, 역경, 불행 손님을 잘 접대하기 위해 평상시 행복 손님이 오래 머물도록 준비합니다. 행복 손님 접대 준비로 고난, 역경, 불행 손님을 잘 접대해서 오래 머물지 않도록 해야 합니다. 행복 손님이 찾아왔습니다. 어떻게 오셨냐고 물어보니 당신이 불렀다고 하네요.

'며칠 머무를 거냐고 하니' 1박 2일이라고 합니다. 고난, 역경, 불행 손님이 찾아왔습니다.

어떻게 오셨냐고 물어보니 당신이 불렀다고 하네요. '며칠 머무를 거냐고 하니' 14박 15일이라고 합니다. 행복 손님은 오래 머물지 않기에 자주 올 수 있도록 행복을 학습, 연습, 훈련해야 합니다.
고난, 역경, 불행 손님은 오래 머물기에 자주 오지 못하

도록 고난, 역경, 불행을 극복하는 학습, 연습 훈련을 해
야 합니다.

《행복히어로》

성은 행, 이름은 복이라는 사람이 있습니다. 행복이라는
사람은 어떤 사람을 좋아할까요? 세 잎 클로버에 첫 번
째 잎은 성실한 사람이고 두 번째 잎은 꾸준한 사람, 실
력 있는 사람이며 세 번째 잎은 시행착오, 대가 지불 보
존의 법칙을 생각하는 사람입니다.
성은 행, 이름은 운이라는 사람이 있습니다.
행운이라는 사람은 어떤 사람을 좋아할까요? 세 잎 클
로버에 세 번째 잎까지는 같습니다. 네 번째 잎은 함께
잘 되기 위한 행동입니다.

성은 불, 이름은 행이라는 사람이 있습니다.
불행이라는 사람은 어떤 사람을 좋아할까요? 다섯 잎
클로버에 첫 번째 잎은 자신을 사랑하지 않은 사람이고
두 번째 잎은 부정의 비교를 많이 하는 사람이며 세 번
째 잎은 변화, 성장, 배우지 않는 사람입니다. 네 번째
잎은 자신 이득을 위해 주위 사람들에게 피해 주는 사
람이고 다섯 번째 잎은 감사할 줄 모르는 사람입니다.

■ 습관 블록 쌓기! 3why? 기법!
- 첫 번째 왜? 어떻게 하면 행복 습관, 행운 습관을 만들 수 있을까?
- 두 번째 왜? 평상시 어떻게 하면 행복 습관, 행운 습관을 쌓을 수 있을까?
- 세 번째 왜? 지금 생활 속에서 사소하게 무엇부터 시작을 해야 행복 습관, 행운 습관 블록을 쌓을까?

♥ 방탄 습관 전문가의 행복 습관, 행운 습관 블록 쌓기
행복도 습관이고 행운도 습관이며 불행도 습관입니다.
상담을 할 때 내담자의 생활 속에 습관을 파악을 해보면 습관에 답이 있다는 것을 대부분 알게 됩니다.

행복한 사람들은 행복한 습관이 있습니다.
행운이 있는 사람들은 행운이 올 수밖에 없는 습관이 있습니다. 불행한 사람들은 불행할 수밖에 없는 습관이 있습니다.

그런데 대부분 사람은 안 좋은 습관이 누적되어 결과가 안 좋아지는 것인데 자신에 안 좋은 습관은 생각 안 하고 일어난 결과만으로 판단합니다.

순간 일어나는 상황도 자신의 습관으로 만들어지는 것

입니다. 행복 습관, 불행 습관이 "이런 거다."라고 정답을 말해 줄 수는 없습니다. 하지만 단언컨대 많은 사람을 상담하고 필자가 181가지 습관을 행동하면서 알게된 것은 행복, 행운, 불행은 자신 습관에 답이 있다는 것이고 자신이 부른다는 것입니다.

사람들은 어떤 사람을 좋아할까요? 사람들은 어떤 사람을 싫어할까요?

행복, 행운을 사람으로 생각해 보겠습니다. 행복, 행운이라는 사람이 좋아하는 181가지 습관, 불행이라는 사람이 싫어하는 181가지 습관 참고해서 나답게 마음(방탄멘탈)습관 블록을 쌓으세요. [블록 44 - 사명감 만드는 181가지 습관(도미노 습관) 276페이지 참고]

《나다운 방탄습관블록》

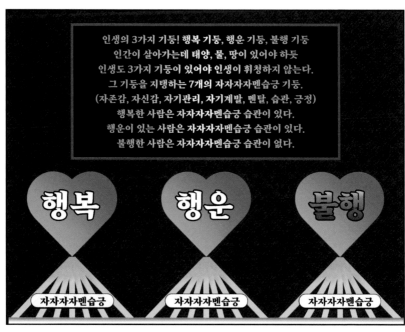

인생의 3가지 기둥! **행복 기둥, 행운 기둥, 불행 기둥**
인간이 살아가는데 태양, 물, 땅이 있어야 하듯
인생도 3가지 기둥이 있어야 인생이 휘청하지 않는다.
그 기둥을 지탱하는 7개의 **자자자자멘습긍 기둥.**
(자존감, 자신감, 자기관리, 자기계발, 멘탈, 습관, 긍정)
행복한 사람은 **자자자자멘습긍 습관**이 있다.
행운이 있는 사람은 **자자자자멘습긍 습관**이 있다.
불행한 사람은 **자자자자멘습긍 습관**이 없다.

행복　자자자자멘습긍
행운　자자자자멘습긍
불행　자자자자멘습긍

리더 행복, 리더 행운, 리더 불행
사용설명서

구준함
성실함
실력
시행착오
대가지불
보존의 법칙

구준함
성실함
실력
시행착오
대가지불
보존의 법칙
함께 잘되기
위한 행동

한 잎: 자신을 사랑하지 않은 것
두 잎: 부정 비교
세 잎: 변화, 성장, 배우지 않는 것
네 잎: 자신 이득을 위해
　　　주위 사람 피해 주는 것
다섯 잎: 감사할 줄 모르는 마음

행복　　행운　　불행

194

오늘 행복은 내일로 이월이 안 되는데 이월되는 게 있다. 부정, 불만은 내일로 이월이 되고 복리로 누적이 된다.

대한민국 OECD 국가 중에 행복 꼴찌 대한민국 국민의 행복이 위험하다는 건 리더의 행복이 위험하다는 것이다. 자신의 행복이 자신에게 sos 보내는 마음의 소리가 들리지 않는가? 그 행복의 소리를 들리게 해주겠다. 집중!

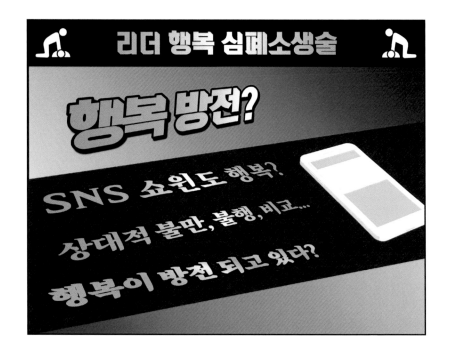

포노 사피엔스 시대(스마트폰 시대), 4차 산업 시대, AI 시대, 5G ~10G 시대, SNS 시대, 메타버스 시대, 챗 GPT 시대... 등 빛 보다 빠르게 변화하는 시대다.

2022년 세계 행복보고서에 의하면 세계 행복지수 1위는 필란드이고 2010년도에 세계 행복지수 1위인 부탄은 95위를 했다. 행복지수가 하락한 가장 큰 이유는 급격하게 도시화가 진행되면서 인터넷과 SNS가 발달로 국민들의 자국의 빈곤을 알게 되었으며 다른 나라와 비교를 시작했다.

<국제연합(UN)>

스마트폰으로 인해 상대적 불행, 상대적 불만, 상대적 빈곤에 노출이 되어 자신의 행복을 도둑맞고 있다.

비대면 시대를 거쳐 3고(고환율, 고금리, 고물가)시대에 머리, 마음, 몸이 다 지쳐있고 경제적으로도 다 힘들어 하는 상황이다.

힘들죠? 지치죠? 뭐 도와줄 거 없어요? 토닥토닥 위로, 격려가 어느 때보다 절실한 시대다.
"잘 할 수 있어!" 보다 "잘하지 않아도 괜찮아!" 이 말이 더 절실한 시기다.
"하면 된다!" 보다 "하는 데까지 해보자!" 이 말이 더 절실한 시기다.

지금 우리 리더들 각자 위치에서 애쓰고 있는 것을 안다. 결과가 나오진 않지만 지금 애쓰고 있는 것만으로도 잘하고 있는 것이다. 결과가 나와야 잘하는 건 아니다. 지금 잘하고 있는 거 알죠!

비대면 시대 때(2019년 ~ 2023년) "평상시 사소한 것
들(가족, 애인, 친구, 지인들과 행복한 추억을 만들 수
있었던 장소들 놀이동산, 공원, 사우나, 영화관, 여행...
등)을 할 수 있는 것이 행복이었다."라는 것을 알게 해
줬는데 마스크를 벗는 날이 오고 나니 사소한 것들이
행복을 준다는 것을 다시 망각하고 또 다시 악순환이
반복되고 있다. 이런 현실 속에서 리더 자신 행복, 가족,
팀원, 조직체 행복을 어떻게 만들고 지킬 것인가?

행복을 만들고 지키기 위해서는 리더 자신 행복도 중요
하지만, 리더 위치에 있다면 지금 시대 행복 상황을 알

고 평균적인 사람들의 행복 개념을 알아야만 팀원, 조직체 행복의 방향을 잡고 행복을 지킬 수 있다.

지금 대한민국은 행복 상황이 심각하다. 극단적인 선택을 하는 사람이 한 해 12,000~13,000명으로 하루에 32~37명이 극단적인 선택을 한다. 이혼 건수는 1년 10,000건이다. 우울, 의욕 상실, 삶의 만족도 저하, 슬럼프 등 모든 것들은 행복하지 않아서 생기는 것이다.

행복 호르몬인 세로토닌 부족으로 생기는 거다. 한해 교통사고 사망자 2,000 ~ 3,000명이다. 극단적인 선택이

교통사고보다 4배가 더 많고 4배가 더 무서운 것인데 우리는 지금 뭐시 중헌지 모르고 집중을 엉뚱한데 하고 있다.

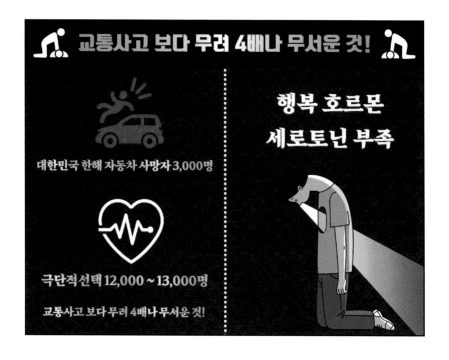

중요한 것에 집중하지 않고 주어진 것에 감사를 못하니 불만, 부정의 비교로 인해서 우울함과 삶에 의욕 저하로 삶의 질이 떨어진다는 것이다.

사람이 보는 것, 말하는 것, 행동하는 모든 것들은 자신의 행복을 위해서다. 사람이 하는 모든 행위는 결국 자기 자신이 행복하기 위해서다.

한마디로 인생을 사는 이유가 뭐죠? 행복하기 위해서 사는 것이다.

돈, 사랑, 인간관계, 여행, 취미, 운동, 공부, 자기계발, 자신 분야 전문가가 되기 위한 노력 등 모든 행동의 결과는 행복하기 위해서다.
그래서 리더는 팀원, 조직체 행복까지 고민, 생각을 해야 한다. 어떻게 하면 "팀원, 조직체를 행복하게 해 줄 수 있을까?" 팀원, 조직체 행복을 만들어 주기 위해서는 가장 먼저 리더 자신이 행복해야 한다.

리더가 행복하지 않은데 팀원, 조직체가 행복하겠는가? 리더가 행복하지 않으면 조직체는 모래성처럼 무너진다. "우리 리더를 보면 행복하지 않은 거 같아. 행복한 조직체를 찾아 떠나야겠다." "우리 리더는 행복한 사람이야. 함께 있으면 나도 행복한 사람이 될 수 있어. 우리 리더와 오래 함께 해야지."

리더여, 어떤 조직체를 만들고 싶은가? 당연히 후자일 것이다. 그럼 지금부터 무엇을 해야 하는가? 리더 자신부터 행복해야 한다. 리더 행복 학습, 연습, 훈련은 선택이 아닌 필수다.

20,000명 심리 상담, 코칭 하면서 알게 된 것은 행복 운전면허증도 없으면서 차를 먼저 살려고 한다는 것이다. 왜 그럴까? 차(돈, 물질적인 것)만 있으면 행복할 거 같기 때문이다.

세상, 현실, 주위 사람들의 주둥이 파이터들로 인해서 차, 물질적인 것에 집착하게 만들고 세뇌를 시킨다.
대부분 리더들이 행복 운전을 거꾸로 하고 있다. "행복 운전면허증 있나요? 없어요! 먼저 차를 사고 싶어요!"

행복한 인생을 살려면 행복 면허증을 먼저 취득해야만 행복한 인생 운전을 할 수 있다.

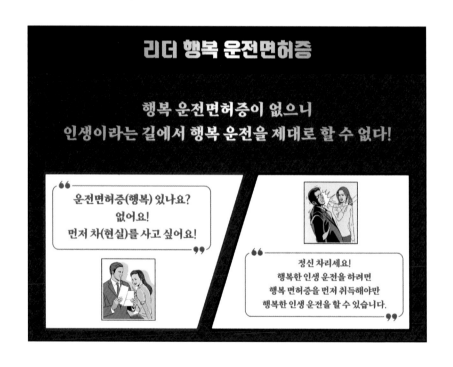

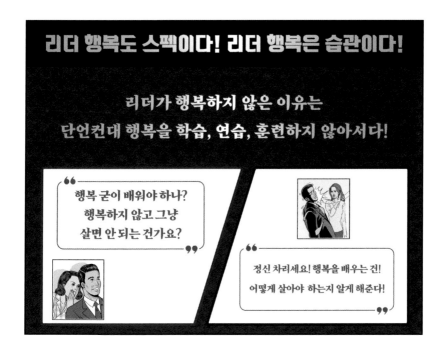

"행복 운전면허증 굳이 있어야 하나요? 행복 굳이 배워야 하나요? 행복하지 않고 그냥 살면 안 되는 건가요?"
정신 차리세요!

행복을 배우는 건!
인생을 이렇게 살아야 하는구나, 알게 해준다.
사랑을 이렇게 해야 하는구나, 알게 해준다.
인간관계를 이렇게 해야 하는 거구나, 알게 해준다.
하는 일을 이렇게 해야 즐거운 거구나, 알게 해준다.

나답게 사는 것이 이렇게 사는 거구나. 알게 해준다.
내가 사는 이유가 이거있구나! 알게 해준다.

세계에서 대한민국이 행복 꼴찌인 이유? 당신이 지금 행복하지 않은 이유? 단언컨대 행복 학습, 행복 연습, 행복 훈련을 하지 않아서다. 행복도 스펙이고 행복은 습관이다.

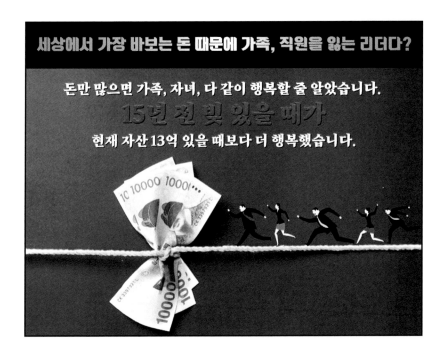

세상에서 가장 바보는 돈 때문에 가족, 직원을 잃는 리더다?

돈만 많으면 가족, 자녀, 다 같이 행복할 줄 알았습니다.

15년 전 빚 있을 때가

현재 자산 13억 있을 때보다 더 행복했습니다.

- 상담 스토리

저의 지금 상황이 자산, 13억 중소기업 사장, 1남 1녀 중 둘 다 명문대 재학 중이고 아내는 가정주부입니다. 극단적인 생각을 하고 있습니다. 앞만 보고 악착같이 달려왔습니다. 집을 사기 위해, 빚을 갚기 위해, 가족 여행도 한 번도 안 가고 돈만 넉넉해지면 부부 관계, 가족들 관계 다 좋아질 줄 알았습니다. 그래서 다 뒤로 미루었습니다. 나중에 다 보상받을 거 생각하고 돈만 있으면 돈만 많이 벌면 그것들 다 하겠노라고 했지만, 지금은 삶의 이유가 사라졌습니다.

경제적으로 안정은 되었는데 부부 관계, 가족 관계가 좋아지지 않았습니다. 가족들 때문에 내 행복을 다 미루고 악착같이 했는데 가족들 관계라는 것이 부부 관계라는 것이 다 때가 있는데 그때를 놓쳐 가족들과의 관계, 행복이 단절되어 버렸습니다.

나는 도대체 왜 사는가? 이제는 살아야 할 이유를 모르겠습니다. 지금 경제적으로 여유로울 때 보다 15년 전 빚 많았을 때가 더 행복했습니다.
너무 미웠습니다. 돈만 있으면 다 될 줄 알았는데...

상담 스토리를 듣는 사람 중에 "가족 관계, 부부 관계 필요 없어요! 돈만 많이 벌었으면 좋겠다."라고 생각하는 분도 있을 것이다. 사람의 심리가 얼마나 간사한지 아는가?

돈이 많으면 부부 관계, 가족 관계가 소홀하다고 불만을 갖는다. 돈이 없고 부부관계, 가족관계가 좋으면 "돈만 많이 벌어 줬으면 좋겠다."라는 태도로 불만을 갖는다.
돈이 필요 없다고 말하는 게 아니다. 당연히 행복하기

위해서는 돈이 기본적으로 필요하다. 그래서 그 리더에게 이렇게 말을 했다.

"얼마나 노력했나요?"라고 여쭤보니 6개월 정도 노력해봤는데 안 됐다고 한다. "15년 동안 마음의 문을 닫아 버렸는데 6개월 한다고 열리겠습니까? 15년 동안 가족에게 소홀했던 거 앞으로 15년은 걸릴 거라고 생각하고 먼저 다가가고 먼저 노력을 해야 합니다. 가장, 아빠, 남편으로서 책임감을 가지고 꾸준히 해야 합니다."

"남은 인생과 삶은 부부 관계, 자녀 관계 회복이라는 마음가짐으로 살면 됩니다. 삶의 이유가 없으면 새로운 삶의 이유를 만들면 되는 겁니다."

그 리더가 놀라는 말투로 "삶의 이유를 다시 만들면 된다."라는 생각을 전혀 못했다고 한다.

이 리더는 자기 손톱 밑에 가시가 아프다 보니 주위를 못 본 것이다. 그 말을 듣고 그분이 너무나도 죄송하다고 극단적인 선택을 생각했던 게 부끄럽다고 쪽팔린다고 하면서 나잇값을 못해서 죄송하다는 것이다.

"극단적인 선택을 생각하는 건 나이와 상관없습니다. 그런 생각이 들었을 때 도움을 받기 위해서 누군가한테 전화해서 물어보고 배우기 위해서 알아보는 행동이 더 중요합니다." 라고 말하니 "고맙습니다! 정말 고맙습니다!" 극단적인 선택은 하지 않겠다고 말을 하면서 마무리했다.

지금 자신의 상황이 전혀 해결이 안 된다고 생각이 들 때 누군가의 말 한마디로 인해서 180도로 생각의 전환이 될 수도 있다. 세상에서 가장 무거운 것은 가장의 어깨이고 리더의 어깨다. "왜 가장의 어깨, 리더의 어깨가 무거워야 되나요?" 물어보지 말라. 자연의 이치, 인생이 이치인데 이유를 알아야 하는가? 인생은 이해가 되서 하는 것보다 이해가 안 되도 해야 되는 게 더 많다.

한 번의 상담, 코칭이 인생을 바꿀 수 있다는 것을 명심하고 도움을 받자!

세상에서 가장 무거운 것? 리더(가장)의 어깨

우주에서 가장 무거운 것? 워킹맘의 어깨

돈보다는 가족관계, 직원 관계, 행복?

가족관계, 직원 관계보다는 많은 돈?

세상에서 가장 바보는 돈 때문에 가족, 직원을 잃는 리더다.

세종대왕은 한글을 만들어 국민의 영웅이 되었다.

이순신 장군은 23전 23승을 거둬 국민의 영웅이 되었다. 박세리, 박찬호는 1997년 IMF 때 지치고 성난 국민들에게 위로와 희망을 주어 국민의 영웅이 되었다.

김연아는 피겨 불모지, 박태환은 수영 불모지에서 금메달을 따내 국민들에게 희망, 가능성을 줘 국민의 영웅이 되었다. BTS는 세계에 K팝을 알려 국민의 영웅이 되었다. 코로나19로 인해 다운된 분위기를 임영웅의 트로트가 위로가 되어 국민의 영웅이 되었다.

세계에 K-방역을 알리며 국민의 생명을 지켜준 대한민국 의료진들이 국민의 영웅이 되었다. 우리는 모두 누군가의 히어로다? 자신 분야에서 맡은 바 일을 다한다면 히어로가 되는 것이다.

가족의 건강을 챙기는 가정주부 히어로.

가족의 생계를 챙기는 가장의 히어로.

자녀로서 부모를 공경하고 학업에 충실하면 학생 히어로. 히어로는 행복을 주는 사람이다. 거창한 행복이 아니어도 좋다. 자기 자신에게 상대방에게 사소한 사탕 하나라도 상대방을 위해 하는 모든 행동은 히어로다!

행복히어로가 되기 위해 지금 시작합니다!

《행복히어로》

리더, 가족, 팀원, 조직체의 행복을 세상, 현실, SNS에 뺏기고 있다. 리더는 가족, 팀원, 조직체원의 행복을 뺏기지 않고 지킬 수 있는 행복히어로가 되어줘야 한다.

다음은 행복 히어로가 되어 행복을 지켜주고 보호해주는 사람이 되어야 된다는 것을 깨닫게 해주는 내용이다.

하버드대에서 밝힌 행복한 삶을 만드는 결정적 요인은? 이런 관계의 사람이 없다는 것은 술, 담배만큼 건강에 해롭다.

미국 하버드대에서 세계 최장기 인생 연구를 통해 행복한 삶을 만드는 결정적인 요인을 발견했다고 합니다.

연구팀은 약 700여 명의 인생을 85년간 추적한 끝에 사람들의 행복은 이런 관계의 사람이 있는지 없는지에 따라 달라지며 이런 관계가 없다는 건 술과 담배를 피우는 것만큼 건강에 해로울 수 있다는데요. 어떤 관계일까요?

정답은 의지할 수 있는 관계입니다.

하버드 연구팀은 좋은 인생의 비결이 재산도 명예도 학벌도 아닌 사람들과의 따뜻하고 의지할 수 있는 관계라고 밝혔는데요.

연구에 따르면 의지할 사람이 있는 경우 심장, 고혈압, 당뇨 등 만성질환에 걸린 확률이 낮은 반면 반대의 경우 스트레스 호르몬과 염증 수치가 더 높고 뇌 기능도 떨어졌다고 합니다.

<KBS 옥탑방의 문제아들>

리더는 가족, 팀원, 조직체의 행복을 지켜주고 행복을 주기 위해 의지할 수 있는 사람이 되어야 한다. 리더도 의지할 수 있는 사람이 옆에 있으면 좋겠지만 리더의 위치는 의지할 수 있는 사람이 되어 줘야 하는 것이 리더의 자리다. 부모가 자녀에게 의지할 수 있는 사람이

되어 주는 것이 의무이듯 리더는 자신을 따르는 사람들에게 의지할 수 있는 사람이 되어 주는 것은 의무이다.

그러기 위해서는 리더 자신부터 행복하기 위한 학습, 연습, 훈련을 그 누구보다 많이 해야 한다.

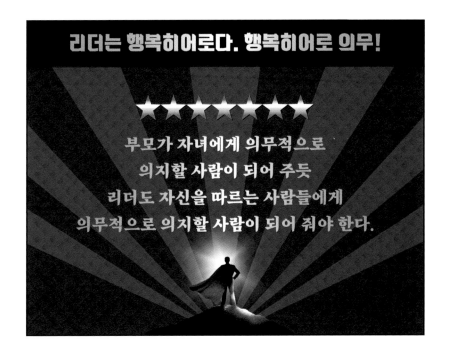

리더는 행복히어로다. 행복히어로 의무!

★★★★★★★

부모가 자녀에게 의무적으로
의지할 사람이 되어 주듯
리더도 자신을 따르는 사람들에게
의무적으로 의지할 사람이 되어 줘야 한다.

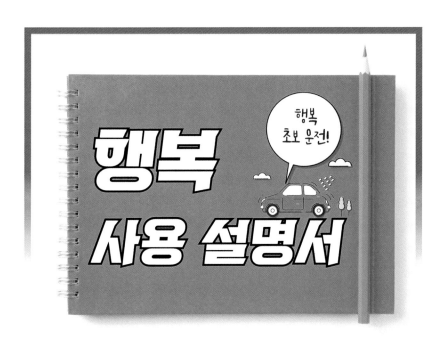

죽을 때까지 3가지? 빼고는

모든 것을 학습, 연습, 훈련해야 한다!

1. 죽음

2. 숨 쉬는 것

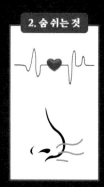

3. 나이

학습, 연습, 훈련 반복!
자생능력
(혼자서 할 수 있는 능력)

양질전환 법칙!

리더 책 100권 출간

리더 책
2,000권 독서

20,000명
심리 상담, 코칭

45년간
리더 습관 320가지 만듦

방탄 리더 행복 보호막 학습, 연습, 훈련
포토샵으로 리더 인생, 행복 편집하자

행복히어로
행복 초등학생 15P ~ 16P

포토샵으로 인생, 행복 편집하자

리더 인생 편집 프로그램이 있다면?
리더 얼굴 편집 프로그램이 있다면?
리더 멘탈 편집 프로그램이 있다면?
리더 사랑 편집 프로그램이 있다면?
최고의 리더 행복 편집 프로그램이 있다면?
당신은 포토샵 보다 좋은 최고의 편집 프로그램을 가지고 있다?

리더 인생 편집 프로그램은 "혼자 잘 되고 잘살자! 가 아니라 우리 함께 잘 되고 잘살자!"라는 태도로 사는 것이다.

리더 얼굴 편집 프로그램은 거울뉴런 효과인 김치, 참치, 꽁치, 멸치, 개구리, 병아리...등

다음은 얼굴 편집 프로그램에서 거울 뉴런이 왜 중요한지 뇌 과학으로 증명된 내용이다.

거울 뉴런(Mirror neuron)이란 무엇일까요? 거울 뉴런은 이름처럼 다른 사람의 행동을 거울처럼 반영한다고 해서 붙여졌습니다. 특히 특정 움직임을 행할 때나 다른 개체의 특정 움직임을 관찰할 때 활동하는 신경세포입니다. 옆 사람이 하품하면 내가 따라 하게 되는 것이나,

영화를 볼 때 주인공이 울거나 슬퍼하면 나도 슬퍼하는 공감 능력, 부부가 서로 닮아가게 되는 모든 현상이 이러한 거울 뉴런이 반응하는 현상입니다. 또, 거울 신경 세포는 어떠한 행동이 특정한 물체를 향해 목적을 가지고 움직일 때, 그 둘의 상호 작용에 대해서만 활성화된다고 합니다. 아무 행동에 대해서 무조건 반응하는 것이 아니라, 어느 정도 따라 할 수 있는 행동에 대해서만 반응하는 경향이 있습니다. 예를 들어 원숭이의 거울 뉴런은 사람의 행동에는 반응했지만, 사람이 도구를 사용해서 하는 행동에는 반응하지 않았다고 합니다.

<네이버 지식백과>

거울뉴런은 리더가 행복한 인생을 사는 데 가장 중요하다. 거울뉴런은 공감뉴런이라고 한다.

옆에 있는 사람이 하품을 하면 나도 하품이 나오고 옆 사람이 눈물 흘리면 슬픈 감정이 생겨서 나도 덩달아 눈물을 흘리며 웃는 사람, 행복한 사람 보거나 소리를 들으면 미소가 지어지고 기분이 좋아지는 것들이 거울뉴런, 공감뉴런 때문이다.

사람이 살아가면서 소리, 행동들이 뇌 속에 저장되어 있기에 내가 하고 있지 않아도 앞에 있는 사람이 소리, 행동하면 거울뉴런이 반응하게 되어 감정이 전입, 감정전이가 된다. 그래서 밝은 표정, 웃는 표정, 웃는 소리를 의도적으로 억지로 만들어내더라도 효과가 있다.

대한민국 5,200만 명 중 5,200망 명 다 아는 "행복해서 웃는 게 아니라 웃다 보니 행복한 거다." 하지만 이유는 모른 체 말만 남발한다. 이유를 제대로 알지 못하니 웃는 게 쉽지 않은 것이다.

이유를 정확히 알아야 행동이 나온다. 이유를 정확히 알려 주겠다. 거울뉴런 때문에 행복해서 웃는 게 아니라 웃다 보니까 행복 호르몬이 나와서 행복해지는 것이다. 더 깊이 들어가면 예전에 뇌에 저장되어 있는 웃음소리, 행동으로 인해서 뇌가 반응을 하는 것이다.

웃음의 효능!

1. 15초 동안 200만 원 상당한 21개 면역 호르몬 발생.
2. 다이어트 효과.
(몸 전체 650개 근육 중에 231개와 얼굴 근육 15개 이상이 움직여 에너지 소비량이 많아진다)
3. 10초 동안 웃으면 3분간 노 젓는 효과.
4. 10초 동안 웃으면 4분 동안 조깅 효과, 함께 웃으면 33배.
5. 10초 동안 웃으면 에어로빅 5분 효과
6. 15초 동안 박장대소하면 100m 전력 질주 효과.
7. 천연 진통제다. 모르핀보다 200배 강한 진통 효과.
8. 혈액순환을 도와준다. 혈관이 30% 정도 확장된다.
9. 심장을 튼튼하게 해준다. 15초 웃으면 2일 더 산다.
10. 암을 물리친다. 종양세포를 공격하는 킬러(NK)세포 증가
11. 스트레스 75% 감소시킨다.
12. 하루에 아기들은 400번 웃고, 성인 여자는 14번 웃고, 성인 남자는 7번 웃는다.
   여자가 남자보다 평균 수명 7년을 더 산다.
13. 긴장될 때 박장대소 15초 하면 긴장이 사라진다.

억지웃음도 90%가 효과가 있다는 것이 과학적으로 증명이 되었다. 그래서 의도적으로 밝은 표정, 긍정의 행동, 긍정적인 말을 해야 한다.

필자가 거울뉴런을 알기에 상담, 코칭, 교육, 강의 할때 중간에 의도적으로 웃는 것이다. 15년 동안 웃음(행복) 학습, 연습, 훈련을 했다. 웃음 학습, 연습, 훈련으로 필자의 인상과 표정이 어떻게 바뀌었는지 사진으로 보여 주겠다.

29살 때와 지금의 얼굴은 580도 달라졌고 표정만 달라진 것이 아니라 인생을 사는 이유, 인생을 바라보는 태도가 달라졌다. 행복(웃음) 학습, 연습, 훈련으로 무엇이 바뀌었는지 사진으로 보여 주겠다. 참고해서 나답게, 당신답게 학습, 연습, 훈련하자.

관상은 바꿀 수 없지만 인상은 바꿀 수 있다. 인상이 바뀌면 인생이 달라진다는 것을 명심하자!
(관상: 태어날 때부터 주어진 운명, 인상: 살아가면서 만들어가는 운명)

15년 표정(행복) 학습, 연습, 훈련

29살

45살

VS

안면 피드백 이론
(표정을 바꾸면 감정 상태가 달라진다는 이론)

최보규 방탄리더행복 창시자!

행복(웃음) 학습, 연습, 훈련
습관 320가지를 통한

인생 변화

29살

45살

29살		45살
인생 뭐 있냐? 별거 없다 대충 살자!	좌우명	오늘이 마지막 날인 것처럼 살고 영원히 살 것처럼 배우자
나만 즐거우면 되지 뭐! 나만 행복하면 돼! 나만 좋으면 돼 그것이 행복이지?	성격	내가 찾은 행복 나를 알고 있는 사람들이 행복해졌으면 좋겠다. 그것을 위한 노력
시간이 해결해 주겠지 내가 뭘 할 수 있을까? 무엇을 잘 할 수 있을까? 꿈 개나 줘버려~	꿈 / 목표 / 방향	방탄자기계발사관학교 만들어 나다운 행복 만들어 주자 함께 잘 살 수 있는 환경 만들자
담배, 술로 인한 몸무게 53kg / 불면증 / 변비 양치질 잇몸 출혈 잦음 / 영향 불균형	건강상태	담배, 술 X, 70kg / 8시간 숙면 전체적인 몸 상태 좋음
난 무엇을 위해 살지? 그냥 이렇게 살아가도 되나? 미래에 대한 걱정 불만	삶의 만족도	부족한 것을 채워 나가는 최보규 인생 너무 감사하고 고맙고 사랑합니다! 다시 태어나도 최보규으로 태어나고 싶습니다.

리더 멘탈 편집 프로그램은 "그럴 수도 있지, 그러려니 하자. 어쩔 수 없다!" 감정 환기가(말하기, 상담) 벤틸레이션 효과, 마음 청소 효과, 굴뚝 청소 효과이다. 공식처럼 외우고 다녀야 한다.

※. 벤틸레이션 효과, 마음 청소 효과, 굴뚝 청소 효과: 벤틸레이션이란 환기라는 뜻으로 굴뚝 청소를 떠올리면 된다. 굴뚝이 막혀 있으면 연기가 밖으로 나가지 않고 집 안으로 들어와 집이 엉망이 된다. 그래서 꽉 막힌 감정을 그때그때 뚫어줘야 문제가 생기지 않는다. 말하는 것만으로 효과가 있는 것이다.

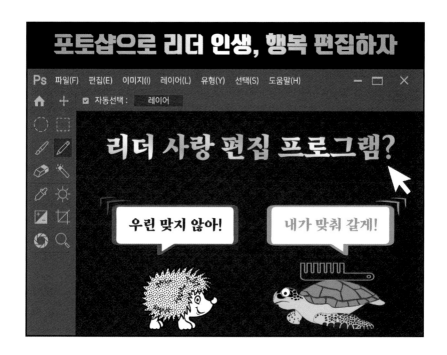

리더 사랑 편집 프로그램은 "우리는 맞지 않아!" "그래서 내가 먼저 맞춰 갈게!" 공식처럼 외우세요!

고슴도치와 거북이 사랑 스토리

고슴도치가 여자, 거북이가 남자. 거북이가 좋다고 고슴도치에게 다가간다. 하지만 가시에 계속 찔리는 것이다. 그래서 고슴도치가 거북이에게 말을 한다.

"우린 맞지 않아. 너에게 상처를 주고 있어. 우리 헤어지자"

대부분 보통 사람은 어떻게 하죠? "그래 우린 많지 않아. 헤어지자 나랑 비슷한 거북이 만나야겠다."

90%는 이런 말을 하고 헤어진다. 그런데 거북이는 달랐다. 거북이 자신 등에 똑같지는 않지만 비슷한 칫솔을 묶어서 "내가 맞춰 갈게!" 말을 하며 다가간다. 맞춰가려는 노력, 행동이 중요하다.

스드메보다 1,000배 중요한 결혼 준비? 30분 만에 끝나는 결혼식 준비에 집착하지 말고 결혼 생활 100년을 위해 준비, 학습, 연습, 훈련에 집중하자! <클래스101>검증된 원 포인트 클래스 영상 참고하길 바란다.

리더가 아내, 남편을 사랑하지 않는데 팀원, 조직체를 사랑하겠는가? 중요한 것은 리더가 팀원, 조직체 원들에게 맞춰 가려는 행동을 했을 때 팀원, 조직체 원들은 자연스럽게 따라 온다. 리더가 먼저 맞춰 갈 때 가정, 팀원, 조직체 원들의 행복률도 올라간다.

리더십과 세상 모든 것의 시작은 가정에서 시작된다. 그래서 리더십을 높이는데 가장 기본인 가정의 행복률을 올리기 위한 학습, 연습, 훈련하는 방법을 참고하자!

스드메보다 1,000배
중요한 결혼 준비?

결혼식 하루 준비에 집착하지 말고
결혼 생활 100년을 하기 위한
결혼 준비, 학습, 연습, 훈련에 집중하자!

방탄사랑은 스펙이다!

아내  남편

남편 13계명

1. 남편의 행복 0순위는 아내의 행복이다! 일어나서 자기 전까지 모든 것 아내에게 집중!

2. 아내 말을 잘 듣자! 하는 일이 잘 된다!

3. 아버지가 어머니에게 이렇게 대했으면 하는 남편이 되겠습니다. 매형들이 누나들에게 이렇게 대했으면 하는 남편이 되겠습니다.

4. 남편 몸은 아내 거다. 빌려 쓰는 거다! 담배, 술, 몸에 무리가 가는 모든 것 자제 하고 건강관리, 자기관리 하겠습니다.

5. 아내에게 받은 사랑(내조) 보답하기 위해 머리, 가슴, 몸, 돈 으로 실천하겠습니다. 용돈 안에 아내의 바가지도 포함되어 있다.

6. 아내를 몸, 마음, 돈으로 평생 웃게 해서 호강시켜주겠습니다.

7. 아내를 존경하겠습니다. 세상에 아내 같은 여자 없습니다.

8. 아내 빼고는 모든 여자는 공룡이다! 정신으로 살겠습니다.

9. 아내를 위해 앉아서 싸겠습니다.

10. 많은 사람들에게 인정받는 남편이 아닌 아내에게 인정받는 남편 이 되기 위해 먼저 맞춰가는 남편이 되겠습니다.

11. 아내에게 무조건 지겠습니다. 이기려 하지 않겠습니다. 아내 앞에서는 나직성자체를 내려놓겠습니다. (나이, 직급, 성별, 자존심, 체면)

12. 지저분한 것(음식물 쓰레기, 화장실 청소)같이 하겠습니다.

13. 함께하는 한 가지를 위해 개인 생활 10가지를 감수하겠습니다.

아내 13계명

1. 아내의 행복 0순위는 남편의 행복이다! 일어나서 자기 전까지 모든 것 남편에게 집중!

2. 남편 말을 잘 듣자! 하는 일이 잘 된다!

3. 어머니가 아버지에게 이렇게 대했으면 하는 아내가 되겠습니다. 새언니가 친오빠에게 이렇게 대했으면 하는 아내가 되겠습니다.

4. 아내 몸은 남편 거다. 빌려 쓰는 거다! 담배, 술, 몸에 무리가 가는 모든 것 자제 하고 건강관리, 자기관리 하겠습니다.

5. 남편에게 받은 사랑(외조) 보답하기 위해 머리, 가슴, 몸, 돈으로 실천 하겠습니다. 남편 사랑 안에 남편의 잔소리 포함되어 있다.

6. 남편을 몸, 마음, 돈으로 평생 웃게 해서 호강시켜주겠습니다.

7. 남편을 존경하겠습니다. 세상에 남편 같은 남자 없습니다.

8. 남편 빼고는 모든 남자는 공룡이다! 정신으로 살겠습니다.

9. 남편 피로 해소를 위해 어깨 안마 5분씩 해주겠습니다.

10. 많은 사람들에게 인정받는 아내가 아닌 남편에게 인정받는 아내가 되기 위해 먼저 맞춰가는 아내가 되겠습니다.

11. 남편에게 무조건 지겠습니다. 이기려 하지 않겠습니다. 남편 앞에서는 나직성자체를 내려놓겠습니다. (나이, 직급, 성별, 자존심, 체면)

12. 지저분한 것(음식물 쓰레기, 화장실 청소)같이 하겠습니다.

13. 함께하는 한 가지를 위해 개인 생활 10가지를 감수하겠습니다.

아내 말을 잘 듣자!

| 자 | 다 | 가 | 도 |

| 떡 | 이 | 생 | 긴 | 다 | ! |

방탄사랑

Dear.   OO는

행복을 존재하게 한다?

OO는

행복을 만들어 낸다?

OO는

행복을 사라지게 할 수도 있다?

신이 인간과 함께 할 수 없어서

OO를 내려보냈다.

- 최보규 방탄사랑 창시자 -

2

Dear.

평생을 같이 살고
늘 함께 하는 사람을

행복하게 못해주는데
그 어느 곳에서 행복할 수 있을까요?

행복할 자격이 없는 것입니다!

가정, 가족, 아내를 행복하게 못하는데
행복하다고 하는 사람의 행복은
가짜입니다.

- 최보규 방탄사랑 창시자 -

3

Dear.　　　당신을 만나 행복을 찾았고

당신을 만나 나를 알게 되었고

당신을 만나 삶의 이유를 알았고

.

.

.

.

당신의 행복이
내 행복이라는 것을 알았습니다.

- 최보규 방탄사랑 창시자 -

4

Dear. 태양, 물, 공기, 땅, 자연,
동물, 사람 없으면 살아도

첫사랑이자 끝사랑인
그 사람 없으면 하루도 못 삽니다.

내가 지구에 온 이유는
당신을 만나기 위해서입니다!

제 삶의 이유는 당신을 웃게 하는 것이고

제 삶의 행복은
당신을 행복하게 하는 것입니다.

- 최보규 방탄사랑 창시자 -

5

Dear.   이 사람은 늘 감사, 긍정의 말
한마디 한마디가 저에 행복을 충전시켜줍니다.

이 사람은 꾸준한 자기관리하는 모습으로
저에 행복을 충전시켜줍니다.

이 사람은 부모를 챙기는 모습으로
저에 행복을 충전시켜줍니다.

.

무한 에너지인 태양광 에너지처럼
저에 행복을 무한 충전해 주는 사람!

아내는 가정의 행복을 지켜주는 유일한
행복 태양광 에너지!

- 최보규 방탄사랑 창시자 -

법적 부부의 날

【 혼인신고 20♥♥. ♥♥. ♥♥ 】

아내: ♥ ♥ ♥ 　♥　 남편: 최보규

가정의 행복 법(부부 13계명)을 지키기 위해

아내 ♥♥♥는
아내 13계명을 솔선수범하겠습니다.

남편 최보규는
남편 13계명을 솔선수범하겠습니다.

천년의 약속

♥ ♥ ♥   ♥ 최보규

세계 인구 78억 인구에서 둘이 만나
봄, 여름, 가을, 겨울을 지나
다섯 번째 계절인 사랑의 계절을 시작하려고 합니다.

미안해 보다는 고마워, 사랑해 말을 더 하겠습니다.

혼자 있는 시간보다는 함께 하는 시간을
더 만들겠습니다.

맞춰 주길 바라기보다는 맞춰 주기 위해
더 행동하도록 하겠습니다.

다섯 번째 계절인 사랑의 계절을 시작하는 첫날
♥ 기쁘게 축하해 주세요 ♥
사랑하며 예쁘게 살겠습니다!

【 다섯 번째 계절인 사랑의 계절 시작 20♥♥. ♥♥ . ♥♥ 】

최고의 리더 행복 편집 프로그램은 세상, 현실, 주위 사람들이 말하는 기준이 아닌 나답게, 나다움을 만들어 가는 것이다.

남들이 주로 많이 하려고 하는 것은 줄이고 절제하며 남들이 안 하려고 하는 것, 꺼려하는 것을 좀 더 하자! 리더가 1% 더 가져가려고 하는 것이 아니라 리더를 따르는 사람들에게 1% 더 나눠 줄 수 있는 사람이 되어야 한다. 리더가 1%를 더 가지려고 하면 조직체 원들은 "리더가 혼자 잘 되고 잘 살려고 하네? 오래 할 수 없겠다."라고 생각한다. 리더가 1%를 더 나누려고 하면 조직체 원들은 "우리 리더님은 함께 잘 되기 위해 행동하는 사람이야. 오래 함께하고 싶다."라고 생각한다.

리더가 행복한 것은 당연한 것이고 책임감으로 리더를 따르는 사람들까지 행복하게 해주기 위해 끊임없이 행복을 학습, 연습, 훈련해야 하는 것은 의무다.

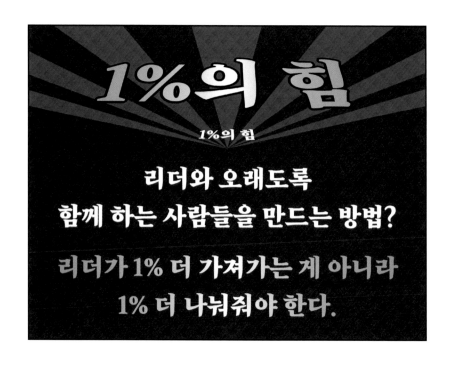

행복 커피 메뉴에는 아메리카노 행복, 에스프레소 행복, 카페라떼 행복, 카푸치노 행복이 있다.

아메리카노, 에스프레소 카페라떼, 카푸치노 공통점은? 커피가 들어간다. 커피를 메인으로 무엇을 첨가하냐에 따라 커피 이름이 달라지듯이 자신의 행복도 인생이라는 커피잔에 어떤 사람을 첨가 하느냐에 따라 180도 달라진다. 인생의 행복 커피 맛이 달라진다.

《행복히어로》

리더 행복도 커피와 같다. 리더(커피) 주위에 어떤 사람(첨가제)을 만나느냐에 따라서 리더십이 180도 달라진다. 리더는 특히 사람을 보는 안목을 길러야 한다. 사람 보는 안목이 없으면 조직체가 발효가 아닌 부패가 된다.

시간이 지나면 부패되는 음식이 있고
시간이 지나면 발효되는 음식이 있다.
시간이 지나면 부패되는 사람이 있고
시간이 지나면 발효되는 사람이 있다.
사람을 썩게 만드는 일도 그대의 선택에 달려 있고
그를 익게 만드는 일도 그대의 선택에 달려 있다.
당신은 늙어가는가? 익어가는가?
《내 마음속의 울림》

리더 행복이 부패가 아닌 발효가 되기 위해서는 리더 인간관계를 신경써야 한다. 리더 인간관계를 떠나서 모든 인간관계의 기본 원칙이 있다. 하지만 평균적인 사람의 심리는 자신은 인재, 좋은 사람이 아니면서 인재, 좋은 사람을 바란다는 것이다. 자신이 인재, 좋은 사람이 아니면 그런 사람을 알아 볼 수가 없다. 자신이 인재, 좋은 사람이 아닌데 인재, 좋은 사람이 찾아온다? 300% 사기꾼이라고 생각해라.

사람을 보는 안목을 기르는 0순위는 리더 자신이 인재, 좋은 사람이 먼저 되어야만 그 사람들이 보이고 인재

양성을 할 수 있다. 리더 행복은 자신이 좋은 사람이 되어 좋은 인재, 좋은 사람이 올 수 있도록 해야 하고 좋은 인재, 좋은 사람을 양성 했을 때 그것이 진정한 리더의 행복이다.

리더 행복도 커피와 같다. 리더(커피) 주위에 어떤 사람(첨가제)을 만나냐에 따라서 리더십이 180도 달라진다.

아메리카노 리더(사람)
에스프레소 리더(사람)
카페라떼 리더(사람)
카푸치노 리더(사람)

방탄 리더 행복 보호막 학습, 연습, 훈련
리더 행복 월세? 전세? 자가?(리더 행복 청약통장)

행복히어로
행복 중학생 29P ~ 30P

행복 월세? 전세? 자가?(행복 청약통장)

당신의 행복은 월세, 전세, 자가? 평균적인 사람들은 행복 월세를 살고 있다. 그래서 월급이 들어오면 그날만 행복하다. 누구나 행복 분양을 받고 싶어 하고 행복 건물주를 원한다. 건물주 이번 생은 힘들어도 행복 건물주는 지금부터 행복 학습, 행복 연습, 행복 훈련을 어떻게 하느냐에 달렸다. 행복 청약통장 지금부터 시작하자.

《행복히어로》

리더 행복 건물주는 유산 상속이 되지 않는다. 스스로 나다운 행복을 만들어 가야 하듯 리더 행복도 스스로 만들어 가야 한다. 그러기 위해서는 리더 행복 청약통장을 시작해야 한다. 리더 행복 청약통장을 꾸준히 유지하느냐에 따라서 리더 행복 월세, 전세, 자가, 10평, 32평, 100평이 달라진다. 주택 청약통장 조건이 있듯 리더 행복 청약통장에도 조건이 있다.

가장 기본 조건은 자자자자멘습긍이다.(자존감, 자신감, 자기관리, 자기계발, 멘탈, 습관, 긍정) 나머지 조건들은 기본 조건을 얼마만큼 하느냐에 따라서 알게 된다. 가장 기본인 자자자자멘습긍이 채워지지 않으면 나머지 조건들은 보이지 않는다. 리더 행복 월세, 전세, 자가, 10평, 32평, 100평은 자자자자멘습긍에 학습, 연습, 훈련에 달렸다.

애완동물 1천만 시대
집사가 행복하기 위해
우리 댕댕이 행복하게 해주기 위해
함께 하듯 행복 댕댕이도 키우시개.

애완동물을 키우듯 행복도 키우는 것입니다.
애완동물 예방접종, 밥, 산 책, 목욕, 장난감...등
한 달 들어가는 돈이 만만치 않습니다.
애완동물 한 달 평균 비용 10~100만 원
애완동물 연간 보험료 10~40만 원
지금 애완동물 1,000만 시대!

애완 행복을 키우는 사람은?
당신의 애완 행복은 몇 살입니까?
잘 키우고 있습니까?
애완 행복 보험은 들었나요?
《행복히어로》

리더십도 애완동물 키우는 것처럼 키우는 것이다. 애완동물은 마음으로 분양해서 돈으로 키운다는 말이 있다. 견주가 쓸 것들 아껴가면서 애완동물에게 시간, 돈 투자를 한다. 애완동물이 가족이다 보니 투자라기보다는 사랑을 투자 한다고 하는 말이 더 맞을 것이다. 하지만 20,000명 심리 상담, 코칭 하면서 알게 된 것은 리더십에 시간, 돈 투자를 대부분 하지 않는다.

리더십이 아무 노력 없이 나이를 먹는 것처럼 저절로 생긴다고 생각하는 리더가 많다.

리더십이 아닌 꼰대십(리더병)이 나오는 이유가 나이만 먹고, 경력만으로 리더를 하고 있으니 리더십이 나오지 않는 것이다. 리더십이 나오려면 애완견을 정성을 들여 키우듯이 리더 행복도 정성을 들여 학습, 연습, 훈련해야 한다.

대한민국 1년에 10만 마리 이상, 하루에 200~300마리가 버려지는 현실이다. 이제는 애완동물을 가족으로 생각한다. 그런데 가족을 버리는 사람이 이렇게나 많다.

그 무엇보다 중요한 리더 행복 댕댕이, 냥냥이를 버릴 것인가? 리더는 자신의 리더십을 위해서 그 어떤 것보다 행복을 위해 시간, 돈을 투자해야 한다.

방탄 리더 행복 보호막 학습, 연습, 훈련
리더 행복 핸드드립 세트

행복히어로
행복 고등학생 56P ~ 57P

행복 핸드드립 세트

핸드드립 세트
드립 서버, 드리퍼, 드립포트, 여과지, 그라인더
행복은 기성품이 아니다. 수제품이다.

핸드드립으로 커피를 내려 마시면 자신 취향, 내 스타일에 맞는 맛을 볼 수 있다. 핸드드립 세트를 준비해서 핸드드립을 학습, 연습, 훈련해야 내 스타일을 만들 수 있듯이 행복 핸드드립도 마찬가지다. 행복 핸드드립 세트를 구매해서 행복 핸드드립을 학습, 연습, 훈련해야 나다운 행복을 맛볼 수 있다.

《행복히어로》

리더 행복 핸드드립 세트를 아는가? 리더 자존감, 리더 멘탈, 리더 습관, 리더 행복, 리더 자기계발이다.

나다운 자존감, 멘탈, 습관, 행복, 자기계발을 해야만 자기다운 리더십 커피를 맛볼 수 있다. 커피 핸드드립 세트(드립 서버, 드리퍼, 드립포트, 여과지, 그라인더)를 전문점에서 사서 내 스타일에 맞는 커피를 맛볼 수 있듯 리더 행복 핸드드립 세트(리더 자존감, 리더 멘탈, 리더 습관, 리더 행복, 리더 자기계발)를 학습, 연습, 훈련해야지만 나다운 리더십이 나오는 것이다.

핸드드립으로 만든 커피에 어떤 첨가제를 추가하느냐에 따라 커피가 달라지듯 리더십 핸드드립(리더 자존감, 리더 멘탈, 리더 습관, 리더 행복, 리더 자기계발)학습, 연습, 훈련 뒤에 어떤 리더십을 추가 하느냐에 따라 리더십 내공, 깊이가 달라진다.

어떻게 하면 리더 행복을 숙성시킬 것인가?
어떻게 하면 리더십을 숙성시킬 것인가?

빠르게 변화하고 발전하는 시대에
신종 치매가 늘어나고 있다.
몸은 편해지는데
행복, 정신, 사랑, 감정은 더 힘들어지고 있다.

자자자자멘습긍 치매?
자존감, 자신감, 자기관리, 자기계발, 멘탈, 습관, 긍정

♥ 디지털치매: 휴대 전화와 같은 디지털 기기에 지나치게 의존한 나머지 기억력과 계산 능력이 크게 떨어진 상태.

♥ 감정 조절 치매: 사람 만남을 통해서 관계 속에서 감정 스펙, 감정 조절 스펙이 쌓이는데 과도한 SNS 노출로 인해서 상대적 박탈감, 상대적 빈곤, 쇼윈도 행복으로 인해 카페인 우울증으로 감정 조절을 힘들어하는 상태 (카페인: 카카오스토리, 페이스북, 인스타그램)

♥ 사랑 치매: 사람은 사랑받기 위해서 태어났지만 사랑받는 것도 세상, 현실 기준에 삼혹(현혹, 유혹, 화혹: 화려함에 혹하는 것) 되어 부부다운, 가족다운, 연인다운, 우리다운 사랑을 점점 잊어가고 있는 상태.

♥ 행복 치매: 세상, 현실 기준인 물질적인 것만 있음 행복하다는 것에 세뇌되어 나다운 행복을 점점 잊어버리고 있고 행복이라는 단어가 내 기억에 있는지? 가물가물한 상태, SNS 속에서는 행복해 보이는 사람은 많은데 만나는 사람 중에 행복한 사람이 점점 더 없는 상태.

♥ 자존감 치매: 부모, 가족, 소중한 사람들에 사랑으로 자존감이 높아지는데 부모, 가족, 소중한 사람들도 자존감 학습, 연습, 훈련 부족으로 자존감이 대부분 낮아 사소한 말에도 상처받고 우울해지는 상태.

♥ 자신감 치매: 일단 해보자! 못하면 좀 어때! 마음으로

해야 하는데 내 주제에? 내 외모에? 내 스펙에? 내가 할 수 있겠어? 시작도 못하는 상태.

♥ 자기관리 치매: 전화 한 통이면, 손만 뻗으면 먹을 것이 많은 현실. 모든 시작은 몸 건강에서 나오는데 몸 비만, 정신 비만이 되어 자기관리라는 단어는 사전에서만 찾게 되는 상태.

♥ 자기계발 치매: 스마트폰 시대 전보다 자기계발 책, 글, 영상들 1억 배는 더 많이 접하는데 자기계발을 스마트폰 시대 전보다 더 못하는 상태.

♥ 멘탈 치매: 멘탈 학습, 연습, 훈련 부족으로 약한 상태인데 SNS로 인해 멘탈 붕괴가 자주 발생해 삶의 의욕이 사라지고 있는 상태.

♥ 습관 치매: 성격은 바꾸는 것이 아니라 쌓는 것인데, 스피치는 바꾸는 것이 아니라 쌓는 것인데, 습관은 바꾸는 것이 아니라 쌓는 것인데 바꾸는 것에 집중을 하다 보니 늘 그 자리에 머물러 있는 상태.

♥ 긍정 치매: 낙천적인 것이 긍정인 줄 알고 착각 속에 빠져 올바른 노력을 해야 되는데 노오오오력만 하다 보

니 지쳐만 가는 상태. 낙천적, 긍정적 차이점을 아는가? 낙천적인 것은 "하면 된다. 노력하면 된다. 무조건 된다."라고 생각 하는 것이고 긍정적인 것은 "하면 는다. 하면 변한다. 하면 성장한다. 노력하면 는다. 노력하면 변한다. 노력하면 성장한다. 무조건 되진 않지만 하는 데까지 해보고 결과를 받아들이자."라고 생각하는 것이다. 긍정치매는 낙천적, 긍정적 차이점을 모르는 상태.

《행복히어로》

20,000명 심리 상담, 코칭을 하면서 알게 된 것은 리더의 자자자자멘습긍(자존감, 자신감, 자기관리, 자기개발, 멘탈, 습관, 긍정)이 업데이트가 되지 않아서 리더 행복도 업데이트가 안 되는 리더들이 많다는 것이다.

리더가 되기 전에는 자자자멘습긍(자존감, 자신감, 자기관리, 자기계발, 멘탈, 습관, 긍정)을 기본만 하면 된다. 왜? 책임져야 할 사람이 없기 때문이다. 그러나 리더를 따르는 사람들이 생기면 자자자멘습긍(자존감, 자신감, 자기관리, 자기계발, 멘탈, 습관, 긍정)을 기본으로만 해서는 힘들다.

자자자자멘습긍(자존감, 자신감, 자기관리, 자기계발, 멘탈, 습관, 긍정)을 팀원, 직원, 조직체 인원 별로 업데이트를 주기적으로 해야 한다. 조직체 인원이 5명이면 5명을 이끌 수 있는 자자자멘습긍을 해야 하고, 10명이면 10명을 이끌 수 있는 자자자멘습긍, 30명, 50명… 인원수에 맞는 자자자멘습긍을 업데이트해야만 리더 조직력이 단단해지고 커지는 것이다. 리더 조직력이 커지지 않는 이유 중 하나는 리더의 그릇이 작기 때문이다. 리더의 그릇이 10명인데 어떻게 20명이 생기겠는가? 리더의 그릇을 넓히기 위해서는 자자자자멘습긍 학습, 연습, 훈련을 업데이트해야 한다.

영화 같은 행복을 바라는가? 드라마 같은 행복을 바라는가? 둘 다 해피엔딩? 둘 다 해피엔딩일까?

행복은 영화가 아니라 드라마다! 무슨 뜻일까?
영화처럼 2~3시간 안에 즐거움, 기쁨, 슬픔, 아픔, 설렘, 감동, 고난, 역경, 불행, 시행착오, 대가 지불, 스트레스, 우울, 배신, 믿음, 신뢰, 불안, 공포, 자괴감...등 모든 것을 한 번에 느끼게 해주는 것이 아니다.

행복은 드라마처럼 16부작으로 나누어져서 조금씩, 조금씩 느끼며 알게 되는 것이다.

나다운 행복 드라마는 10,400부작(1주일 2부작×52주 ×100년) 이기에 하루하루에 집중(학습, 연습, 훈련)해야 지만 나다운 행복 드라마를 이해할 수가 있다. 마지막 회, 마지막에 행복이 있는 것이 아니다. 한 주 속에 행 복 있는 것이다.

행복이란 영화처럼 2~3시간 안에 모든 것을 때려 부어 서 느끼는 게 아니라 드라마처럼 한 주 한 주 조금씩 조금씩 느끼는 게 행복이다. 그래서 오늘 행복은 내일로 이월이 안 되는 것이다. 오늘의 행복에 집중하자!

《행복히어로》

리더의 행복도 영화가 아니라 드라마다. 하지만 매출, 결과, 목표 달성, 성과, 돈...한 달 정산에 행복을 미룬다. 리더가 결과(돈, 매출)에만 행복을 두면 따르는 사람들의 행복도 미뤄지는 것이다. 과정 속에서 조직체의 변화, 성장, 배움...등으로 지난 달 보다 나은 사람이 되어가는 사람들이 많아질 때 리더 행복, 조직체 행복은 높아진다.

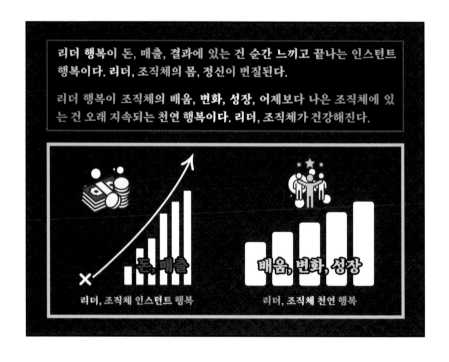

리더 행복이 돈, 매출, 결과에 있는 건 순간 느끼고 끝나는 인스턴트 행복이다. 리더, 조직체의 몸, 정신이 변질된다.

리더 행복이 조직체의 배움, 변화, 성장, 어제보다 나은 조직체에 있는 건 오래 지속되는 천연 행복이다. 리더, 조직체가 건강해진다.

돈, 매출

배움, 변화, 성장

리더, 조직체 인스턴트 행복

리더, 조직체 천연 행복

대한민국은 굶어서 죽는 사람은 거의 없다.

행복, 정, 사랑이 굶주려 극단적인 선택을 하는

사람은 많아지고 있다. 밥은 먹고 다니냐? 행복은 먹고

다니냐? 정은 먹고 다니냐? 사랑은 먹고 다니냐?

4차 산업 시대! AI 시대! 앞으로 5, 6, 7, 8, 9, 10G

시대! 기계문명은 초고속으로 발전하고

몸은 편해지고 있지만 안타깝게도 행복, 정, 사랑은

더 굶주려 가고 있다. 밥 굶는 사람보다

행복, 정, 사랑 굶는 사람이 더 많아지고 있다.

《행복히어로》

5G~10G 속도가 빨라지면 상상만 했던 것들이 더 많이 실현된다. 하지만 꾸준한 시간의 흐름 속에서 느낄 수 있는 행복, 정, 사랑은 느낄 새도 없이 사라져 간다. 사람 몸은 점점 편해지는데 정신은 우울, 불안, 스트레스, 번아웃...등 증상들이 더욱 심해지고 있다.

리더 행복, 조직체 행복을 굶주리게 하는 현실 속에서 리더는 리더, 조직체 행복을 보호할 수 있는 행복, 정, 사랑을 느낄 수 있는 시스템을 만들어야 한다. 리더는 행복, 정, 사랑의 굶주리고 있는 조직체를 위해서 사소한 것이라도 신경을 써야 한다.

이런 느낌

1. 따뜻한 햇볕 때문에 일요일에 늦잠 자다 깼는데 창문으로 바람이 살랑살랑 불어오는 느낌
2. 친구들이랑 휴가 가기 전에 같이 장 볼 때의 느낌
3. 해외여행 가는 비행기 안에서 출발전 창밖을 보는 느낌
4. 조용한 버스나 지하철에서 좋아하는 음악 듣는 느낌
5. 목요일에 아침 수업만 있고 금요일까지 공강 토, 일까지 쭉~시간이 많은 느낌
6. 밤에 자전거 타고 가는데 시원한 가을바람이 불어오는 느낌
7. 전날 밤샘 공부하고 마지막 시험 본 다음에 집에 와서 폰 꺼놓고 좋아하는 영화 연속으로 볼 때의 느낌
8. 겨울에 베란다에서 찬 귤 가지고 와서 따뜻한 이불속에서 까먹는 느낌
9. 늦여름에 긴팔 입고 학교 갔다 집에 오는 길에 시원한 바람이 불어 하늘을 올려다보는 느낌
10. 정말 힘들었고 하루가 끝나고 집에 와서 샤워하고 보송보송한 이불 덥고 누웠을 때 갑자기 졸리는 느낌
<플래닛드림>

이런 느낌 10가지를 보면서 어떤 느낌을 받았는가?
대부분 공감하고 설레게 하는 느낌들일 것이다. 이런 느낌 10가지는 자신 행복, 정, 사랑이 느리게 충전된다는 것을 대부분 모른다. 자신의 행복, 정, 사랑을 초고속 충전시켜 주는 필자의 17가지 방법 공유한다.

이런 느낌은 어떤가요?

1. 주말 톨게이트에서 통행료 받는 분에게 사탕 하나 챙겨주는 느낌

2. 내가 자주 가는 장소에서 쓰레기 줍는 느낌

3. 좋은 글, 좋은 정보 지인들에게 보내주는 느낌

4. 만나는 사람들에게 작은 선물 챙겨주는 느낌

5. 감사하다는 말을 했을 때 '감사에 감사하다.'라는 말을 했을 때 느낌

6. 내 회사는 아니지만 누군가 말하기 전에 정수기 물통 교환해주는 느낌

7. 쓰레기통 뚜껑 커피 자국 물티슈로 지우는 느낌

8. 고마움 보답하고 싶다고 하는 분에게 진짜 그 고마움 보답하고 싶다면 자신보다 관심, 배려, 사랑이 필요한 사람에게 베푸는 것이 서에게 보답하는 길이라고 말해주는 느낌

9. 만나는 사람들에게 행복을 주려고 노력하는 느낌

10. 오늘이 마지막 날인 것처럼 만나는 사람에게 최선을 다하는 느낌

11. 전신기증 한 것이 사후에 160명 사람들에게 갈 거 생각하며 내 몸 더 관리하며 아끼는 느낌

12. 심리 상담할 때 같이 아파하며 울어주는 느낌

13. 마트에서 물건사고 계산 할 때 점원이 편하게 바코드를 찍을 수 있도록 구매한 모든 제품 바코드를 보이게 올려놓으니 점원이 하는 말 "마트 10년 동안 고객님 같은 분은 처음이네요. 바코드가 보이게 해줘서 너무 편했습니다. 너무 감사합니다."라는 말에 "별말씀을요." 말해주며 서로 행복해하는 느낌

14. 오손오손(운전석 오른 손으로 열기), 왼손왼손(조수석 왼손으로 문 열기) 스티커로 지인의 자녀 자동차 사고 예방한 느낌

15. 상대방 차에 탈 때 신발 털고 타는 느낌

16. 등산할 때 정상까지 쓰레기 주우면서 가는 행동을 보고 지인이 쓰레기 줍는 행동을 꾸준히 따라 하는 느낌

17. 편의점 범죄 하루 42건이고 한해 15,000건이다. 편의점에서 일하시는 분들 고충을 덜어 주기 위해 박카스 사서 주는 느낌

<최보규 방탄리더십 창시자>

정리를 하면 '이런 느낌 10가지'는 오로지 자신만을 위한 행동들이고 필자의 '이런 느낌 17가지'는 상대방을 위한 행동들이다. 그래서 행복, 정, 사랑을 초고속으로 채우기 위해서는 자신을 위한 행동도 있지만 상대방을 위한 행동들이 많아야 한다는 것이다.

리더가 줄 수 있는 느낌은 무엇이 있을까? 생일 챙겨주는 느낌, 결혼기념일 챙겨주는 느낌, 직원 가족 경조사 챙겨주는 느낌, 워크숍 가서 교육하지 않고 휴식만 하고 오는 느낌, 월요일 1시간 늦게 출근하는 느낌, 월요일 1시간 일찍 퇴근하는 느낌, 리더가 시원한 커피 사주는 느낌, 리더가 피로회복제 전체 사주는 느낌, 리더가 따뜻한 커피 사주는 느낌...등 사소한 것들이 행복, 정, 사랑을 굶주리고 있는 사람들에게 행복, 정, 사랑 허기를 채워 줄 수 있다.

사랑의 반대는 이별이 아니다. 무관심이다. 리더는 끊임없이 자신을 따르는 사람들에게 관심이 있어야 한다. 관심을 가지면 자신을 따르는 사람들에게 무엇을 해줘야 하는지 보인다.

앞에서 언급했듯이 매출의 1%를 리더가 더 챙기는 것이 아니라 조직체의 행복, 정, 사랑을 위해서 1%를 더 써

270

야 한다. 단단한 조직체를 만들기 위한 최고의 강력 접착제인 행복, 정, 사랑에 더욱 신경 써야 한다.

커피가 가장 맛있는 온도?

물이 가장 맛있는 온도?

행복을 가장 많이 느끼는 온도?

커피에는 탄닌과 카페인이 들어 있다. 탄닌은 덜 익은 감등 익지 않은 과일에서 나타나는 떫은맛이다. 카페인은 열에 약해서 온도가 너무 뜨거우면 카페인은 증발해 버린다고 한다. 그럼 탄닌의 떫고 쓴맛만 커피에 남게 된다. 그래서 너무 뜨거운 커피는 쓰고 떫은맛이 강하게 난다. 일반적으로 알맞은 커피 온도는 82℃ 정도가 적당하다고 한다.

물이 가장 맛있는 온도는 12℃다. 그 이유는 광천수를 취수 (지하 물을 끌어옴) 할 때 온도가 12℃ 이기 때문이다. 물의 온도가 너무 차가우면 혀가 맛을 느끼지 못한다.

행복을 가장 많이 느끼는 온도는? 태도다!
누구나 좋은 사람을 만나면 편안해지고 행복해진다. 하지만 세상에는 좋은 사람 10%, 마음에 안 드는 사람 90%다. 누구나 하고 싶은 일, 편한 일, 돈 많이 받는 일을 하면 행복해질 거라 생각한다. 하지만 현실은 마음에 들어서 하는 사람 10%, 마음에 안 들어도 하는 사람 90%다.

사람에 대한 태도, 일에 대한 태도, 인생을 살아가는 태도에 따라 행복을 느끼는 온도 차가 다르다는 것이다. 인간관계에서 행복하고 싶은가? 일 속에서 행복하고 싶은가? 인생에서 행복하고 싶은가? 행복 태도를 학습, 연습, 훈련해야 한다.

《행복히어로》

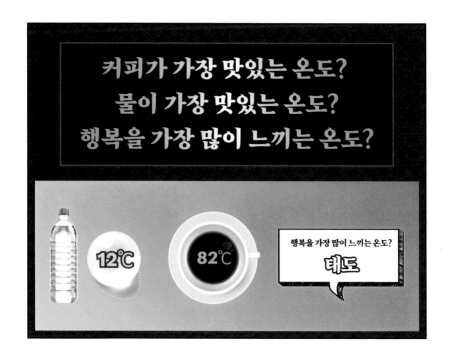

리더를 따르는 사람들이 행복을 가장 많이 느끼는 온도
는 갑을 관계 태도가 아닌 공생 관계 태도를 가질 때다.

갑을 관계 태도란?

리더를 따르는 사람들이 가장 불행해할 때는 리더가 갑
을 관계를 말, 표정, 행동으로 보일 때이다.

"그래, 리더 당신은 갑이다. 그래, 나 을이다. 갑이면 다
냐? 갑질! 너무하네. 을이라 서러워서. 존중, 인정, 배려
가 없어"라고 생각한다.

공생 관계 태도란?

코뿔소와 코뿔소 새는 아프리카 동부와 남부, 아시아의 열대 지역에서 서식한다. 코뿔소는 두껍고 각질화된 피부를 가졌는데, 파리나 작은 벌레들이 달라붙어 갈라진 살갗 틈 속으로 들어가 피를 빨아먹는다.

코뿔소 새는 코뿔소 등에 살면서 뾰족한 부리로 코뿔소 살갗 틈에 있는 벌레나 기생충들을 쪼아 먹는다.

소나무와 송이버섯은 소나무의 잔뿌리에 붙어서 포도당 같은 탄수화물을 공급받고 산다.
송이버섯은 땅속 깊은 곳의 물과 양분을 빨아들일 수 있는 균근이라는 것을 만들어 소나무에게 준다. 그러면 소나무는 광합성을 하여 만든 영양분을 송이버섯에게 나눠준다.

곰치와 청소놀래기는 곰치는 크고 작은 물고기 등 먹이가 될 만한 것은 무엇이든 잡아먹고 살지만, 곰치는 잘 보이지 않은 기생충 때문에 고생을 한다. 이런 기생충들을 청소 놀래기가 청소를 해준다. 청소 놀래기는 덩치 큰 곰치의 입속과 피부에 붙은 거머리나 찌꺼기, 그리고 상처 난 살을 떼어먹으며 산다. 덕분에 먹이를 쉽게 구하고 목숨을 위협받지도 않는다.

리더와 가족, 팀원, 조직체는 갑을 관계가 아닌 공생 관계 태도를 가질 때 서로 행복을 가장 많이 느끼는 것이다. 힘이 있는 사람이 먼저 공생 관계 태도를 가져야만 공생 관계 태도가 형성된다.

힘이 세다? 힘이 약하다? 가진 게 많다? 가진 게 적다? 힘의 원리로 규정하는 게 아닌 서로 행복을 위해 공생 관계 태도가 100년 함께 오래 갈 수 있는 것이다.

다음은 20년 넘게 장수하는 유일한 혼성그룹의 코요테가 공생관계 개념을 깨닫게 해주는 스토리텔링이다.

혼성그룹인 코요테가 20년 넘게 장수하는 건 신지씨 덕분이다? 김종민 씨가 생각하는 장수 비결은요? 보컬(신지)에 있습니다. 신지씨가 독립하지 않는 것입니다.

혼자 행사 갈 때는 100%이고 둘이 가면 5:5, 셋이 갈 때는 4:3:3(신지 40%, 김종민 30%, 빽가 30%) 감사한 일이죠.

사실 미안할 때도 많아요. 대부분 신지씨가 노래를 다

합니다. 어떤 노래는 신지씨만 부르는 노래도 있습니다. 우리는 춤만 추면 돼요. "신지씨는 40% 받아 가는 걸 미안해하고 김종민, 빽가씨는 30% 줘도 감사해한다."

<KBS2 해피투게더 4>

코요테가 롱런 할 수 있는 건 한마디로 공생 관계였다는 것이다. 리더와 리더를 따르는 사람들과의 관계도 공생 관계가 되어야만 오래 함께 갈 수 있는 것이다.

방탄리더십(리더 자존감, 리더 멘탈, 리더 습관, 리더 행복, 리더 자기개발, 리더 코칭)이 공생 관계를 만들어 준다.

커피가 가장 맛있는 온도? 82도

물이 가장 맛있는 온도? 12도

행복을 가장 많이 느끼는 온도? 태도

리더를 따르는 사람들이 행복을 가장 많이 느끼는 온도?

갑을 관계 태도가 아닌 공생 관계 태도다!

방탄 리더십이

(리더 자존감, 리더 멘탈, 리더 습관, 리더 행복, 리더 자기계발, 리더 코칭)

공생 관계를 만든다!

다음은 비시각장애인들이 보지 못하는 행복을 시각장애이인의 사소한 행동으로 비시각장애인들이 행복을 볼 수 있도록 깨닫게 해주는 스토리텔링이다.

필자가 7년 동안 사랑의 전화 카운슬러 봉사를 하고 있을 때의 스토리입니다.

저희는 한 분과 30분 이상 통화하지 않습니다. 집중력이 떨어지는 것도 있지만 더 위급한 자살 상담 전화가 올 수도 있기 때문입니다. 수면제 한 통을 옆에 두고 마지막으로 전화하는 사람들이 있습니다. 만약에 전화를 안 받는다면 바로 극단적인 행동을 하는 사람들이 있기에 통화가 길어질 것 같으면 양해를 구하고 끊도록 유도합니다.

어느 날은 시각장애인에게 전화가 왔습니다. 자신이 33살까지는 정상이었는데 갑자기 시력을 잃었다고 합니다. 세상이 이럴 수가 있을까! 원망을 많이 했다고 합니다. 어떻게 한순간에 눈이 안 보일 수가 있을까 하며 자포자기했다고 합니다.

불의에 사고를 당하면 겪는 심리적 5단계를 거쳐 13년 동안 살고 있다고 합니다! 참고하시기를 바랍니다.

만화 심슨 죽음의 5단계 심리 <정신의학의 연구 결과>

첫 번째는 '부정'입니다. → 호머는 "닥쳐요. 난 안 죽어요."라고 화를 낸다.

두 번째는 '분노'입니다. → 호머는 "이 돌팔이 의사!"라며 그에게 달려든다.

세 번째는 '공포'입니다. → 호머는 "그 다음엔 뭐가 오는 거죠?"라며 불안에 떤다.

네 번째는 '흥정'입니다. → 호머는 "날 살려주면 얼마든지 돈을 치르겠소."라고 거래를 제안한다.

마지막은 '수용'입니다. → 호머는 "그래. 모든 생명은 죽게 마련이지."라며 웃으며 체념하는 모습을 보인다.

상담 규칙 30분을 이분에게만큼은 지킬 수가 없었습니

다. 저는 규칙을 깨고 2시간 동안 상담을 하게 되었죠. 2시간 동안 색깔에 대한 대화를 나누었습니다. 그분이 비빔냉면을 그렇게 좋아한다고 합니다.

"아직도 비빔냉면 장이 빨간색인가요? 계란 흰자가 흰색인가요? 계란 노른자가 노란색인가요?"

눈물이 났습니다. 우리가 하찮게 여기는 것을 누군가는 소원이라며 한 번만 볼 수 있다면 자신이 숨을 거두어 가도 좋다고 하니 부끄럽고 죄송했습니다. 우리는 누군가에 비해 가진 것이 많은 데도 없는 것만 생각하다 보니 부족하다고 불만, 불평으로 감사를 모르고 사는 우리. 전화를 끊을 수가 없었습니다. 필자가 마무리 질문을 했습니다.

"시각장애인들은 손, 귀가 눈이라고 들었습니다. 집안 모든 동선을 외워서 다닌다고요. 그럼 새로운 곳에 가면 어떻게 하시는지요?" "새로운 곳에 가면 부딪히면서 배워요. 멍들고 찢어지고 깨지면서요. 그러면서 익히고 배워 나갑니다. 그게 제 삶이고 누가 대신해 줄 수 없으니까요."

한번은 집 동선을 외우기 위해 돌아다니다 도마가 떨어져 발가락을 찧었다고 합니다. 그분이 20분 정도 말씀하시는데 제가 내담자가 된 기분이었습니다. 제가 위로받고 치유되는 기분에 너무 부끄러웠습니다.

우리는 지금 주어진 상황들이 누군가에 비하면 행복한 것이라는 걸 명심하셔야 합니다. 감사해야 합니다. 그래야 배우고, 성장하며 변화할 수 있습니다.

《나다운 강사1》

시력은 잃었어도 비전은 잃지 않았다.

지난 8월 밤이 깊은 10시 34분 제주도 서귀포시 월드컵 경기장 앞에 설치된 제주 아이언맨 대회(Standard Chartered Ironman Korea Jeju)의 결승선에 한 명의 흑인이 백인 도우미와 함께 지친 모습으로 그러나 한없이 밝은 표정으로 느릿느릿 달려왔습니다. 그리고는 눈시울을 붉히며 기다리고 있던 부인과 힘껏 포옹했습니다.

시각장애인인 빌리 데이비스(46)가 처음 철인 3종 경기에 도전하여 골인한 것입니다. 그의 기록은 14시간 34분 17초이었습니다. 이날 제주 앞바다 파도가 높아 수영(3.8㎞)종목은 취소되어 사이클(180.2㎞)과 마라톤(42.195㎞) 경기만 열렸습니다. 일반 주자들의 평균 기록이 12시간대에 골인하였지만 그는 한참이나 늦은 기록이었습니다. 그는 사이클 경기 도중 체인이 부러져 2시간 15분 동안 사이클을 밀면서 걸어야 했고 이 때문에 그의 발바닥은 온통 물집이 잡혔지만 마라톤 풀코스를 7시간 넘게 걸려서 완주한 것입니다.

"몸은 만신창이가 됐지만 완주해서 너무 기쁩니다. 포기할 수 없었어요. 장애인도 할 수 있다는 것을 바로 내가 보여줘야 하니까요." 몸은 지쳐 있었지만 그는 밝은 표정으로 말했습니다.

일반인도 엄두를 내기 어려운 철인 3종 경기에 시각장애인이 도전했다는 것은 놀라운 일이 아닐 수 없습니다. 데이비스는 유전적으로 시력이 아주 나빴지만 운동에는 재질이 있어 1980년 모스크바 올림픽 10종 경기에 미국 대표선수로 발탁됐습니다. 그러나 미국이 모스크바 올림픽을 보이콧하는 바람에 꿈을 펼쳐보지도 못하고 운동을 그만두어야 했습니다.

그는 기업체 전산 담당자로 평범한 삶을 살아갔습니다. 그러다 그는 시력이 점점 나빠져 96년에 그의 두 눈은 완전히 실명하게 되었습니다. 그는 실의에 빠져 한동안 두문불출하며 세상과 담쌓고 지냈습니다. 그러기를 2년여, 어느 날 친구의 권유로 사이클을 함께 타다 잊고 있었던 자신의 운동능력을 확인하게 된 그는 여러 가지 종목에 도전하기 시작했습니다. 그는 미국 샌프란시스코에서 샌디에고에 이르는 600마일을 사이클로 두 번이나 달렸으며, 수영. 마라톤. 골프 그리고 스키에도 도전했습니다. 그의 아들 조녀선(18)이 연습과 장애인 경기 때마다 자신의 '눈'이 되었습니다. 그는 말했습니다. "시력은 잃었지만 비전을 잃은 적은 없습니다. 전 세계 장애인 모두가 스스로 일어서는 날까지 뛰고 또 뛸 겁니다."

《마르지 않는 샘》

우리는 모두 비시각장애인이다?
정상인, 시각장애인으로 나누지 않고
비 시각장애인, 시각장애인으로 나뉜다.
우리는 많은 걸 보지만 정작 중요한
나다운 행복을 보지 못한다.

- 시각장애인 상담 스토리

새로운 곳에 가면 어떻게 하시나요? 부딪히면서 배워요! 멍들기도 하고! 찢어지기도 하고! 넘어지기도 하고! 그러면서 익히고 배워 나갑니다! 그게 내 삶이고 행복입니다. 누가 대신해 줄 수 없잖아요. 전혀 불행하지 않습니다. 행복합니다. 못 보는 사람이 아닌(단점) 잘 듣는 사람으로(장점) 불리고 싶어요.

나다운 행복을 못 보는 사람들이 90%다. 행복 안내인이 되기 위해서는 행복 학습, 행복 연습, 행복 훈련을 해야 한다.

시작하기 두렵나요? 시각장애인보다 더 두렵나요? 누구에게 물어보더라도 시각장애인보다는 두렵지 않다고 할 것이다. 시작하는 것에 부딪히고, 멍들고, 찍기고, 넘어지고 하세요. 내가 행복 안내인이 되면 지인 250명을 안내할 수 있다.

《행복히어로》

시각 장애인의 눈과 발이 되어 주는 안내견들은 참 고마운 존재다. 시각장애인의 안전을 위해 집중력을 끌어모아 신호등 건너기, 계단 오르기, 지하철 타기 등 어려운 일을 해낸다. 안내견이 되기 위한 과정도 순탄치만은 않다. 꼬박 2년 동안의 전문적인 훈련을 받으며 2~3번의 시험을 거쳐야지만 안내견 자격을 얻는다.

열마리 중 세 마리만 합격이 될 만큼 시험도 어려운데, 우리가 거리에서 보는 안내견들은 이 모든 것을 견딘 녀석들이다. 사람을 위해 많은 시간을 투자한 안내견들이 맡은 바 임무를 충실히 할 수 있으며, 시각장애인의 안전 또한 지킬 수 있는 아래 주의 사항을 확인해보자.

★ 시각 장애인 안내견 주의사항(견주들은 필독 사항)
1. 안내견에게 함부로 먹을 것 주지 말기.
강아지가 귀엽다고 간식을 주는 행동을 절대 삼가자.
음식을 본 안내견이 흥분할 경우 시각장애인의 보행에 큰 위험을 끼칠 수 있다.

2. 안내견 쓰다듬고 만지지 않는다.
만지거나 쓰다듬는 행동은 시각장애인 보행에 역시 큰 지장을 줄 수 있다. 마음대로 만지거나 쓰다듬는 행동은 안내견이 갑자기 다른 방향으로 시각장애인을 안내할 수 있기 때문, 잊지 말자. 안내견은 시각장애인의 눈이다.

3. 안내견 사진 촬영하지 않는다.
길을 가던 중 안내견을 보고 귀엽다고 사진을 촬영하면

녀석은 집중력이 흩어진다. 또한, 시각장애인은 자신을 허락 없이 사진을 찍고 있다고 생각할 수 있어 기분이 상할 수 있다. 시각 장애인을 만나면 꼭 내가 하는 행동이 맞을지 다시 한번 생각해보자.

4. 안내견과 시각장애인이 함께 횡단보도를 건널 때는 신호를 꼭 준수하자.

강아지는 색맹이므로 신호등의 색깔을 구분할 수 없다. 이에 안내견은 시각장애인이 신호등 음향 신호기를 들어 걷기 시작하거나, 보행자들이 건너는 것을 보고 길을 건넌다. 혹 안내견 앞에서 무단횡단을 하면 빨간불에 길을 건너다가 사고를 당할 위험이 있다. 무단횡단은 절대하지 않으며, 혹시 신호등에 음향 신호기 없다면 시각장애인에게 신호를 알려주는 게 좋다.

5. 시각장애인 오른쪽에 선다.

안내견은 보통 시각장애인의 왼쪽에서 길을 안내한다. 시각장애인에게 도움을 주고, 안내견에게 혼란을 주고 싶지 않다면 오른쪽에 서는 것을 추천한다.

6. 안내견을 동반한 시각장애인의 공공장소 출입은 불법이 아니다.

장애인복지법에 따르면 시각장애인은 안내견과 함께 공

공장소 출입이 가능하다. 안내견은 배변 훈련이 철저히
돼 있으며 예방접종 및 구충 등 위생관리가 돼 있다. 또
한, 식당이나 교통수단에서 사람을 보고도 절대 흥분하
지 않는 훈련을 받아 시민들에게 절대 피해를 주지 않
는다.

7. 안내견이 다른 강아지를 만날 경우 주의한다.
최종 안내견이 되기 위해 2~3번의 시험을 통과하는 안
내견들은 다른 강아지가 예고 없이 달려와도 반응하지
않도록 교육받았다. 하지만 갑자기 강아지가 달려와 짖
으면 안내할 때 집중력을 잃을 수 있다. 만약 반려견을
동반할 때 안내견을 본다면 특히 안내견에게 달려가지
않도록 조심하자.

<인사이트 장형인 기자>

20,000명 심리 코칭, 상담 하면서 알게 된 것은 "자신
의 행복을 지키기도 힘든데 가족은 몰라도 팀원, 조직체
행복까지 책임감을 가져야 하나요?"라는 정신상태를 가
진 리더들이 많다. 리더가 조직체를 잘 끌어가기 위해서
는 팀원, 조직체가 행복해야지만 끌고 가지 않고 끌어갈
수가 있는 것이다. 리더들은 오래가는 조직체를 만들고
싶어한다. 인생길에 조직체라는 자동차를 오래 끌어가기
위해서는 연료가 있어야 하듯 조직체라는 자동차의 연

288

료는 팀원, 조직체의 행복이다. 리더가 팀원, 조직체 행복을 위한 행동을 많이 하느냐에 따라 달렸다는 것이다.

리더는 행복 안내인이 되어줘야 한다. 그러기 위해서는 리더 자신이 먼저 행복해야 한다. 리더가 행복 학습, 연습, 훈련을 누구보다 더 열심히 하지 않으면 가족, 팀원, 조직체 행복을 안내할 수가 없다.

안내견은 시각장애인의 눈이다!

리더는 행복 안내인이 되어
가족, 팀원, 조직체 행복을
보게 해줘야 할 의무가 있다.

방탄 리더 행복 보호막 학습, 연습, 훈련
리더 행복 10k? 14k? 18k? 24k?

리더 행복
학사

리더 행복
학사

행복히어로
행복 학사 138P ~ 139P

당신의 행복 10k? 14k? 18k? 24k?

누구나 10k보다는 24k를 좋아한다.
금보다 더 중요한 자신 행복은
왜? 10k에 만족을 하는가?

10k는 순금 함량 41.6%, 14k는 순금 함량 58.5%, 18k
는 순금 함량 75%, 24k는 순금 함량 99.9%다. 순금 함
량 외에 은, 동, 팔라듐 등의 금 이외의 다른 합금이 들
어가 있다. 행복 순금 함량도 비슷하다. 행복 10k은 행
복 함량 41.6%이고 행복 합금 58.4%다. 행복 14k는 행
복 함량 58.5%이고 행복 합금 41.5%다. 행복 18k는 행
복 함량 75%이고 행복 합금 25%다. 24k 순금은 있지

만 행복 24k는 없다. 한마디로 행복 99.9%는 없다.
행복 함량, 행복 합금이 섞여 행복을 만드는 것이다. 좋은 것만 행복이 아니라는 것이다. 안 좋은 것이 아닌 자신에게 마음에 안 드는 것들도 행복 함량을 높이는 데 필요한 것임을 명심하자!

#. 행복 함량 : 기쁨, 설렘, 즐거움, 사랑... 자신에게 좋은 모든 것들
#. 행복 합금 : 세상, 현실 기준이 아닌 자신에게 마음에 안 드는 모든 것들

《행복히어로》

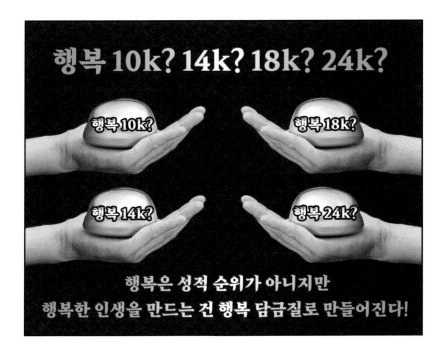

20,000명 심리 상담, 코칭 하면서 알게 된 것은 리더들의 리더십을 금으로 비유하면 대부분 18k에 머물러 있다. 1차 산업 시대 리더십 10k, 2차 산업 시대 리더십 14k, 3차 산업 시대 리더십 18k, 4차 산업 시대 리더십 24k로 순도를 높여야 하는데 리더십 순도를 높이려고 하는 사람들이 드물다. 금 24k 빼고는 합금이 들어가듯이 방탄 리더십(리더십 24k)의 합금인 리더 자존감, 리더 멘탈, 리더 습관, 리더 행복, 리더 자기계발이 들어가야 리더십 순도가 높아진다. 금은 담금질을 계속한다고 순도가 올라가는 건 아니지만 사람은 담금질(자신 분야 학습, 연습, 훈련)을 끊임없이 하면 순도가 올라간다. 리더십 순도를 올리기 위한 담금질을 끊임없이 해야 한다.

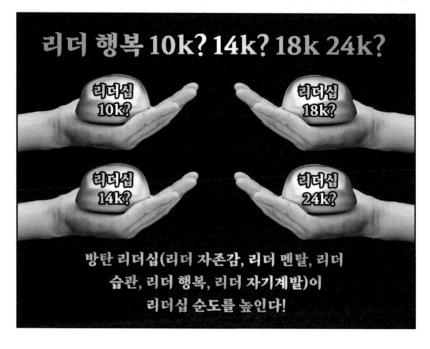

방탄 리더 행복 보호막 학습, 연습, 훈련
리더 행복을 꽃처럼 관리 하자!

행복히어로
행복 석사 171P ~ 172P

행복을 꽃러럼 관리하자!

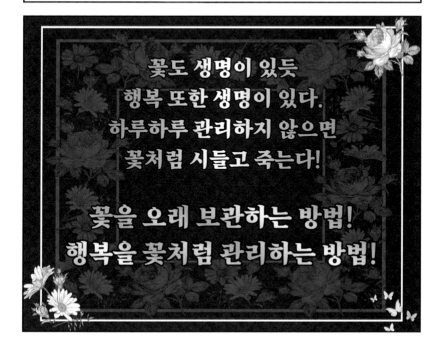

꽃도 생명이 있듯
행복 또한 생명이 있다.
하루하루 관리하지 않으면
꽃처럼 시들고 죽는다!

꽃을 오래 보관하는 방법!
행복을 꽃처럼 관리하는 방법!

행복은 꽃이다? 하루하루 관리를 안 하면 꽃처럼 시듭니다. 꽃도 생명이 있듯 행복 또한 생명이 있다. 그래서 정성을 다해서 가꿔야 하고 보살펴야 한다.

행복을 꽃처럼 관리하자!
꽃 관리를 비교해서 행복 관리하는 방법을 설명하겠다.

꽃 오래 보관하는 방법!
첫 번째 화병에 탄산수와 물을 3:7 섞는다. 탄산수가 없으면 사이다도 괜찮다. 탄산의 산 성분으로 인해서 세균을 막아 준다.

행복 유통기한을 늘리는 방법!
첫 번째 행복 비율은 좋은 일만 100% 발생하는 게 행복이 아니다. 좋은 일 30%, 안 좋은 일 70% 발생하는 게 행복의 비율이다.

꽃 오래 보관하는 방법!
두 번째 실내 온도가 너무 높거나 바람이 많이 통하는 곳에 꽃을 두면 증발량이 높아져 수분 부족 현상이 나타나니 서늘하고 그늘진 곳에 보관한다.

행복 유통기한을 늘리는 방법!

두 번째 만나는 사람들 중 부정적인 사람은 멀리해야 한다. 부정적인 사람들 때문에 긍정의 수분이 증발하기 때문이다. 긍정 수분 부족 현상이 일어날 수 있기에 부정적인 사람은 될 수 있으면 만나지 말고 거리두기를 해야 한다.

꽃 오해 보관하는 방법!
세 번째 줄기 끝은 대각선으로 자른다. 면적이 넓어져서 물을 잘 흡수한다.

행복 유통기한 늘리는 방법!
세 번째 행복을 오래 유지 하려면 행복한 사람과 넓은 관계를 하기 위해서 돈, 시간 투자를 해서 자주 관계를 맺어야 한다. 주위에 행복해 보이는 사람이 아니라 행복한 사람을 찾아야 한다. 그런데 찾기가 쉽지 않다. 내가 행복하지 않으면 주위에 행복한 사람이 없는 게 당연하다. '세상에 이런 일이'에 나올 법한 사람들이 행복한 사람들이다. 행복한 사람 찾는 건 로또와 같은 거다? 주마다 로또 당첨된 사람들 자주 나오는데 내 주위에는 없다. 행복한 사람을 찾을 수 있는 가장 간단한 방법이면서 세상에서 가장 쉬운 방법은 행복의 하이클래스를 가지고 있는 방탄행복을 창시자와 함께하는 것이다.
《행복히어로》

리더 행복도 꽃처럼 관리해야 한다. 꽃을 오래 보관하는 방법을 행복 유통기한 늘리는 방법으로 비유했듯이 리더 행복과 리더십 유효기간 늘리는 방법으로 비유하겠다.

꽃 오래 보관하는 방법! 첫 번째.
행복 유통기한을 늘리는 방법! 첫 번째.
리더 행복과 리더십 유효기간 늘리는 방법! 첫 번째.
리더 행복과 리더십 비율은 좋은 일 70%, 안 좋은 일 30%가 아니라 좋은 일 30%, 안 좋은 일 70%다. 리더라면 안 좋은 일이 발생 했을 때 마음은 당황했더라도 행동에서는 평정심을 보여줘야 하고 좋은 일이 발생 했더라도 마음은 그 누구보다 기쁘지만 자제를 할 수 있어야 한다. 리더를 따르는 사람들이 리더를 봤을 때 리더의 감정 기복의 차이를 크게 느끼면 안 된다. 리더가 불안을 컨트롤 할 수 있어야 기쁨도 컨트롤이 되는 것이다. 리더가 불안해하면 조직체가 느끼는 불안감은 100배로 커진다. 감정을 숨기라는 것이 아니다. 리더 위치에 맞는 감정을 컨트롤해야지만 조직체 감정 컨트롤이 되는 것이다. 리더 감정이 조직체 감정이다.

꽃 오래 보관하는 방법! 두 번째.
행복 유통기한을 늘리는 방법! 두 번째.
리더 행복과 리더십 유효기간 늘리는 방법! 두 번째.
리더의 시간은 24시간이 아니다? 리더의 시간은 조직체 인원수와 비례한다. 1시간은 조직체 인원이 10명이면 10시간이다. (조직체 1명 × 1시간 × 10=10시간)
그렇다면 리더의 24시간은 240시간이 된다. (조직체 10명 × 24시간=240시간=10일) 리더가 1시간을 대충 쓰면 조직체 10일이 사라진다는 것을 명심해야 한다.

그래서 리더는 그 누구보다 "시간이 돈이다." 이 말이 아닌 "시간이 다이아몬드"라는 태도로 시간을 철저하게 계산해서 활용해야 한다.

만나는 사람들도 철저하게 계산적으로 만나야 하는 것이다. "부정적인 사람, 인성이 안 된 사람, 발전이 없는 사람, 내성적인 사람, 꿈이 없는 사람, 목표가 없는 사람, 자자자자멘습긍(자존감, 자신감, 자기관리, 자기계발, 멘탈, 습관, 긍정)이 나오지 않는 사람...등" 리더 자신이 싫어하는 사람 유형, 좋아하는 사람의 유형을 알 것이다. 리더 자신, 조직체에 도움이 안 되는 사람이라면 철저하게 계산해서 멀리해야 한다. 이런 말을 들으면 이런 생각을 하는 사람이 나올 것이다.

"인생이란 사람이 먼저인데 조직체에 도움이 되는 사람만 가려서 만나면 이기적인 리더 아닌가요? 실속만 챙기는 리더 아닌가요?" 방탄 리더십 창시자인 최보규 방탄 리더십 전문가가 말하는 모든 것에 기본은 "리더 자신이 긍정적인 사람, 인성이 나오는 사람, 발전 가능성이 있는 사람, 적극적인 사람, 꿈이 있는 사람, 목표가 있는 사람, 자자자자멘습긍이 나오는 사람 등" 이런 사람이 먼저 된 후에 인간관계를 가려서 하라는 뜻이다.

리더 자신이 누군가에게 필요하고 도움이 되지 않는 사람이라면 인간관계 다이어트를 할 수가 없는 것이다. 리더라면 일반 사람 인간관계가 아닌 방탄 리더 인간관계를 해야 한다.

꽃 오래 보관하는 방법! 세 번째.

행복 유통기한을 늘리는 방법! 세 번째.

리더 행복과 리더십 유효기간 늘리는 방법! 세 번째.

리더 행복과 리더십을 오래 유지 하려면 돈과 시간 투자를 해서라도 리더 행복과 리더십이 있는 전문가와 자주 관계를 맺어야 한다. 주위에 리더십이 있어 보이는 사람이 아니라 리더십이 나오는 사람을 찾아야 한다. 그런데 찾기가 쉽지 않다. 왜? 리더 자신이 그런 사람이 아니라면 그런 사람은 주위에 없다.

그래서 현명한 리더들은 돈, 시간을 투자해서 전문가에게 리더십 학습, 연습, 훈련, 코칭을 받는 것이다.

한 사람이 30년을 살면 가치관이 만들어지고 한 분야 30년을 하면 바꾸기 힘든 가치관이 형성된다. 그 가치관을 바꾸는데 책 2톤(4,000권)을 읽어야 한다. 리더 타이틀이 생기면 신도 바꿀 수 없는 가치관이 생긴다. 그래서 리더는 끊임없이 리더십을 다듬기 위한 학습, 연습, 훈련해야 한다.

조직체의 참모진이 구성되면 그 다음부터는 리더가 하고 있던 모든 것을 내려놓고 리더 가치관을 다듬기 위한 돈, 시간 투자로 리더십을 높이는데 집중해야 한다.

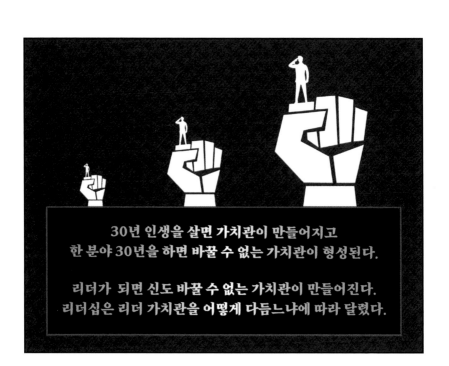

30년 인생을 살면 가치관이 만들어지고
한 분야 30년을 하면 바꿀 수 없는 가치관이 형성된다.

리더가 되면 신도 바꿀 수 없는 가치관이 만들어진다.
리더십은 리더 가치관을 어떻게 다듬느냐에 따라 달렸다.

행복히어로
행복 석사 173P ~ 174P

이순신 장군의 행복 기준!

이순신 장군의 행복 기준!

01. 집안이 나쁘다고 탓하지 마라.
 - 나는 역적의 가문에서 태어나 가난 때문에 외갓집에서 자랐다.
02. 머리가 나쁘다고 말하지 마라.
 - 나는 첫 시험에서 낙방하고 서른둘의 늦은 나이에 겨우 과거에 급제했다.
03. 좋은 직위가 아니라고 불평하지 마라.
 - 나는 14년 동안 변방 오지의 말단 수비 장교로 돌았다.
04. 윗사람의 지시라 어쩔 수 없다고 말하지 마라.
 - 나는 불의한 직속상관들과의 불화로 몇 차례나 파면과 불이익을 받았다.
05. 기회가 주어지지 않는다고 불평하지 마라.
 - 나는 적군의 침입으로 나라가 위태로워진 후 마흔일곱에 제독이 되었다.
06. 조직의 지원 없다고 실망하지 마라.
 - 나는 스스로 논밭을 갈아 군자금을 만들었고, 스물세 번 싸워 스물세 번 이겼다.
07. 윗사람이 알아주지 않는다고 말하지 말라 갖지 마라.
 - 나는 끊임없는 임금의 오해와 의심으로 모든 공을 뺏긴 채 옥살이를 해야 했다.
08. 자본이 없다고 절망하지 마라.
 - 나는 빈손으로 돌아온 전쟁터에서 12척의 남은 배로 133척의 적을 막았다.
09. 옳지 못한 방법으로 가족을 사랑한다 말하지 마라.
 - 나는 스무 살의 아들을 적의 칼에 잃었고 또 다른 아들들과 함께 전쟁터로 나섰다.
10. 죽음을 두렵다고 말하지 마라.
 - 나는 적들이 물러가는 마지막 전투에서 스스로 죽음을 택했다.
11. 몸이 약하다고 고민하지 마라.
 - 나는 평생 동안 고질적인 위장병과 전염병으로 고통받았다.

업적을 남긴 사람들은 자신만의 행복 기준이 있다.
업적을 남겨서 행복 기준이 생긴 것이 아니다.
행복 기준을 만들고 행동했기에
업적이 만들어진 것이다.
행복 기준? 목표, 방향, 버킷리스트, 꿈
이루고 싶은 것들을 위한 꾸준한 학습, 연습, 훈련

이순신 장군의 행복 기준!
신에게는 아직 12척의 배가 남아있습니다.
자신에게 없는 자원에 집중하는 것이 아닌
가지고 있는 자원을 활용한 행복 기준.
가지고 있는 자원이 세상, 현실 기준에 못 미쳤지만
평상시 끊임없는 준비, 연습, 훈련이 있었기에
가지고 있는 자원에 자신감이 있었던 행복 기준.

살고자 하면 죽을 것이요. 죽고자 하면 살 것이다!
오늘이 마지막 날인 것처럼 지금 하는 일에
지금 만나는 사람에게 최선을 다하는 행복 기준.
사람의 심리는 죽음을 누구나 두려워한다.
이순신 장군도 두려워했다.
"이 두려움을 용기로 바꿀 수 있다면!"
하지만 자신 행복, 국민의 행복을 위해 싸운
이순신 장군만의 행복 기준.

꾸준한 행복 학습, 행복 연습, 행복 훈련이 있어야만 나다운 행복 기준이 만들어지는 것이다. 세상, 현실, 주위 사람들이 말하는 행복 기준이 아닌 나다운 행복 기준을 만들어 가야 한다.

《행복히어로》

이순신 장군의 11가지 어록이 이순신 장군의 11가지 행복 기준이다. 이순신 장군의 11가지 행복 기준을 벤치마킹하여 리더 행복 기준으로 재해석했다.

01. 집안이 나쁘다고 탓하지 마라.
- 나는 역적의 가문에서 태어나 가난 때문에 외갓집에서 자랐다.
01. 리더 행복 기준은 없는 자원에 집착이 아닌 있는 자원에 집중하자!
- 흙수저를 물려받아서 가진 게 없어 부모를 원망, 탓을 할 수 있다. 하지만 자신에게 없는 것, 단점에 집착 하면서 원망, 탓하기보다는 가지고 있는 자원(강점)으로 상황을 극복하기 위한 배움, 변화, 행동하면 된다.

02. 머리가 나쁘다고 말하지 마라.
- 나는 첫 시험에서 낙방하고 서른둘의 늦은 나이에 겨우 과거에 급제했다.

02. 리더 행복 기준은 세상, 현실 기준인 스펙에 견줄 만한 스펙을 만들자!

- 세상, 현실 기준의 스펙이 못 미쳐 불만, 불평만 하는 사람이 아니라 세상, 현실 기준의 스펙에 견줄 만한 자신 분야 전문성을 높여 리더 가치, 몸값을 올리면 된다.

03. 좋은 직위가 아니라고 불평하지 마라.
- 나는 14년 동안 변방 오지의 말단 수비 장교로 돌았다.

03. 리더 행복 기준은 위치에 맞는 자격, 자질을 먼저 갖추자!

- 리더 위치에 대접받는 게 중요한 것이 아니다. 위치에 맞는 자격, 자질을 갖추고 있는지가 중요하다. 리더 위치가 낮은 거에 쪽팔리고 자존심 상하는 게 아니라 위치에 맞는 자격, 자질이 부족한 것에 쪽팔리고 자존심이 상해야 한다. 리더가 자격, 자질이 된다면 자연스럽게 인정받는다.

04. 윗사람의 지시라 어쩔 수 없다고 말하지 마라.
- 나는 불의한 직속상관들과의 불화로 몇 차례나 파면과 불이익을 받았다.

04. 리더 행복 기준은 사람들의 반대, 방해 요소를 극복하기 위한 행동을 하자!

- 리더가 하고자 하는 것에 세상, 현실, 주위 사람들... 끊임없이 반대를 하고 방해를 한다. 시작했을 때 다짐, 각오, 목표를 되새기며 극복해 가야 한다. 오늘의 반대, 방해 강도가 내일 보다는 약하기 때문이다.

05. 기회가 주어지지 않는다고 불평하지 마라.
- 나는 적군의 침입으로 나라가 위태로워진 후 마흔일곱에 제독이 되었다.

05. 리더 행복 기준은 기회, 운, 한방, 대박을 받기 위한 자격을 먼저 갖추자!
-기회, 운, 한방, 대박이 오긴 바라기 전에 리더 자신이 기회, 운, 한방, 대박이 나올 정도로 시행착오, 대가 지불, 인고의 시간을 통해서 기회, 운, 한방, 대박을 받을 수 있는 자격이 되는지를 냉정하게 점검해야 한다. 자격이 안 된 상태에서 기회, 운, 한방, 대박이 오면 독이 아닌 독이 되어 리더십을 더 망치고 조직체가 무너진다. 자격이 된 상태에서 기회, 운, 한방, 대박이 온다면 리더십에 득이 된다. 자격이 되면 바라지 않아도 자연스럽게 기회, 운, 한방, 대박은 온다.

06. 조직의 지원 없다고 실망하지 마라.
- 나는 스스로 논밭을 갈아 군자금을 만들었고, 스물세 번 싸워 스물세 번 이겼다.

06. 리더 행복 기준은 리더가 잘나가면 적도 내 편이 된다!

리더 편이 없다고 실망하면 안 된다. 리더가 잘나가면 적도 내 편이 된다. 리더 자신 분야 풀릴 때까지 배움, 변화, 성장, 시도를 끊임없이 해야 한다.

07. 윗사람이 알아주지 않는다고 불만 갖지 마라.

- 나는 끊임없는 임금의 오해와 의심으로 모든 공을 뺏긴 채 옥살이를 해야 했다.

07. 리더 행복 기준은 리더의 슬픔, 힘듦 알아주는 사람 없더라도 가야 한다!

나의 슬픔, 힘듦을 몰라 줄지라도 가야 한다. 세상, 현실, 주위 사람들이 끊임없이 참견, 딴지를 걸 것이다. "당신 스펙 안 되잖아. 당신 돈 없잖아. 당신 주제에? 당신 빽 없잖아. 당신 외모 안 되잖아. 내가 해봐서 아는데 당신은 못 해. 그 정도 했으면 결과가 나와야 하는 거 아냐? 언제까지 할 긴데? 포기해! 다른 거 해!" 리더 위치를 떠나서 그 어떤 일을 하더라도 참견, 딴지를 거는 사람들 있다. 리더 자존감, 리더 멘탈을 단단하게 만드는 학습, 연습, 훈련을 해야 한다.

08. 자본이 없다고 절망하지 마라.

- 나는 빈손으로 돌아온 전쟁터에서 12척의 낡은 배로

133척의 적을 막았다.

08. 리더 행복 기준은 걸림돌을 정면으로 즉시 하면 디딤돌이 된다!

결과를 내기까지 수많은 걸림돌이 있다. 그 걸림돌 때문에 앞으로 못 나가는 것이 아니라 걸림돌이 더 해야 할 이유가 된다는 것을 알아야 한다. "하지 못하는 이유가 해야 할 이유다."라는 생각의 전환으로 걸림돌을 디딤돌로 만들어야 한다.

09. 옳지 못한 방법으로 가족을 사랑한다 말하지 마라.
- 나는 스무 살의 아들을 적의 칼에 잃었고 또 다른 아들과 함께 전쟁터로 나섰다.

09. 리더 행복 기준은 리더는 가족과 함께하는 시간을 위해 돈, 일 조절을 잘해야 한다!

가정이 무너지면 모든 것이 무너진다. 누구나 알지만 아무나 지키려고 행동하지 않는다. 리더들이 착각하는 것 중에 하나는 "가족에게 소홀히 하는 건 가족을 먹여 살리기 위해서 어쩔 수 없는 거야. 이해해 줄 거야"라는 태도로 가족과 함께하는 시간을 가지려고 하지 않는다. 돈(일)만 벌어 준다고 되는 게 아니다. 가족과 함께하는 시간만 많이 만들어 준다고 되는 것 또한 아니다. 리더는 돈(일), 함께 하는 시간 조절을 잘해야 한다. 조절이 쉽지 않기 때문에 끊임없이 조절을 잘하기 위한 학습,

연습, 훈련을 해야 한다.

10. 죽음을 두렵다고 말하지 마라.
- 나는 적들이 물러가는 마지막 전투에서 스스로 죽음을 택했다.

10. 리더 행복 기준은 생을 마감할 때 어떤 리더로 기억되고 싶은가?

"나는 어떤 리더로 기억되고 싶은가? 생을 마감할 때 어떤 리더로 기억되고 싶은가?" 리더는 사라져도 방탄 리더십은 남는다. 리더는 사라져도 방탄 리더십은 3대가 간다. 사람들 기억 속에 어떤 리더로 남고 싶고 불리고 싶은가를 지금 행동한다면 마지막이 두렵지 않다.

11. 몸이 약하다고 고민하지 마라.
- 나는 평생 동안 고질적인 위장병과 전염병으로 고통받았다.

11. 리더 행복 기준은 리더 몸은 가족, 조직체 인원들의 몸이다. 철저하게 관리해야 한다!

"리더 몸은 가족, 조직체 인원들의 몸이다." 함부로 쓰면 안 되는 것이다. 보는 것, 먹는 것, 행동하는 것들을 리더 정신, 몸에 도움이 되는 것을 철저하게 계산해서 해야 한다. 리더가 쓰러지면 가족, 조직체가 쓰러진다는 것을 명심하자.

방탄 리더 행복 기준

01. 리더 행복 기준은 없는 자원에 집착이 아닌 있는 자원에 집중하자!
02. 리더 행복 기준은 세상, 현실 기준인 스펙에 견줄 만한 스펙을 만들자!
03. 리더 행복 기준은 위치에 맞는 자격, 자질을 먼저 갖추자!
04. 리더 행복 기준은 사람들의 반대, 방해 요소를 극복하기 위한 행동을 하자!
05. 리더 행복 기준은 기회, 운, 한방, 대박을 받기 위한 자격을 먼저 갖추자!
06. 리더 행복 기준은 리더가 잘나가면 적도 내 편이 된다!
07. 리더 행복 기준은 리더의 슬픔, 힘듦 알아주는 사람 없더라도 가야 한다!
08. 리더 행복 기준은 걸림돌을 정면으로 즉시 하면 디딤돌이 된다!
09. 리더 행복 기준은 리더는 가족과 함께하는 시간을 위해 돈, 일 조절을 잘해야 한다!
10. 리더 행복 기준은 생을 마감 할 때 어떤 리더로 기억되고 싶은가?
11. 리더 행복 기준은 리더 몸은 가족, 조직체 인원들의 몸이다. 철저하게 관리해야 한다!

방탄 리더 행복 보호막 학습, 연습, 훈련
"같은 사람 다른 리더 행복"

행복히어로 (교재)
행복 박사 210P ~ 211P

"같은 사람 다른 행복"

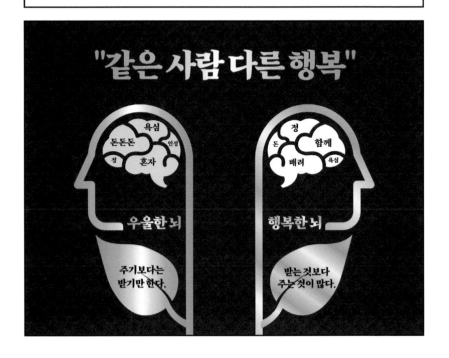

20,000명을 심리 상담, 코칭 하면서 알게 된 것?
다 다르구나!
돈, 인생, 사랑, 가족, 남편, 아내, 자녀
극단적인 선택, 우울, 동성애...등 수많은 걱정, 고민들을
상담하면서 알게 된 것은
상담 주제는 비슷해도 그 사람이 생각, 느끼는
것들은 각자 다르다는 것이었다.
세계 인구 80억 명, 80억 개의 걱정, 고민
80억 개의 행복!

위 그림은 20,000명을 심리 상담, 코칭을 통해 알게 된 우울한 사람들과 행복한 사람들이 자주 말하고 늘 생각하는 것들이다. 같은 사람인데 왜 이렇게 다를까요? 사람마다 차이가 있고 환경이 다를 수 있지만 단언컨대 우울한 뇌는 우울한 말을 자주 하고 우울한 것을 많이 보며 우울한 행동을 한다는 것이다.

행복한 뇌는 행복한 말을 자주 하고 행복한 것을 많이 보며 행복한 행동을 한다는 것이다. 우울도 습관이고 행복도 습관이다. 행복 습관이 행복의 뿌리다. 행복하고 싶으세요? 우울 습관을 관리하세요! 행복 습관을 관리하세요!

《행복히어로》

리더도 똑같은 리더가 없다. 똑같을 수도 없다. 하지만 우울한 뇌를 가진 리더는 우울한 리더십이 있고 행복한 뇌를 가진 리더는 행복한 리더십이 있는 것은 똑같다.

우울한 뇌를 가진 리더들은 우울한 리더십이 나온다. 우울한 말 습관, 표정 습관, 행동 습관으로 나온다. 돈, 매출, 실적과 관련 된 말을 밥 먹듯 한다. 함께가 아닌 혼자 잘 되고 잘 살려는 말투다. 존중, 인정, 배려 해주는 말투가 아니고 표정이 늘 어둡고 근심, 걱정이 표정으로 드러난다. 리더와 같이 있으면 기분이 처진다. 기를 뺏긴다. 조직원들을 믿지 않고 의심하며, 못 믿는다는 생각으로 하나하나 참견하고 감시를 하는 행동을 한다. 우울한 리더십 습관이 만들어져 있어 우울한 행동만 한다.

행복한 뇌를 가진 리더들은 행복한 리더십이 나온다. 우울한 리더십의 반대다. 말 습관, 표정 습관, 행동 습관이 함께 하고 싶게 만든다.

함께 하고 싶은 리더들은 함께 하고 싶은 습관이 있고 멀리하고 싶은 리더들은 멀리하게 만드는 습관이 있다. 리더십은 습관이고 스펙이다. 학습, 연습, 훈련으로 익히는 것이다.

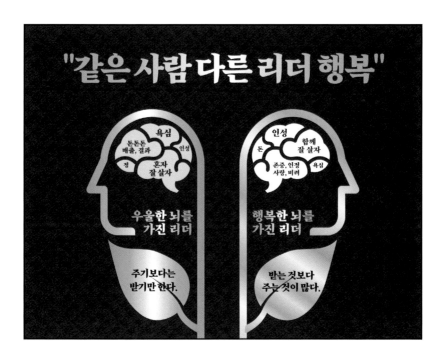

방탄 리더 행복 보호막 학습, 연습, 훈련
"리더 행복 마스터키?"

행복히어로
행복히어로 257P ~ 258P

행복의 마스터키?

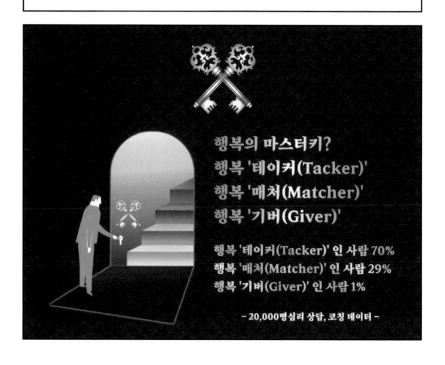

행복의 마스터키?
행복 '테이커(Tacker)'
행복 '매처(Matcher)'
행복 '기버(Giver)'

행복 '테이커(Tacker)' 인 사람 70%
행복 '매처(Matcher)' 인 사람 29%
행복 '기버(Giver)' 인 사람 1%

- 20,000명 심리 상담, 코칭 데이터 -

당신은 어떤 사람인가?

행복 '테이키(Tacker)' 행복 '매처(Matcher)' 행복 '기버(Giver)'!

행복 '테이커(Tacker)' 자신이 준 것보다 더 많이 받기를 바라는 사람.

행복 '매처(Matcher)' 받은 만큼 되돌려준다는 상부상조하는 사람.

행복 '기버(Giver)' 받은 것과 상관없이 최대한 많은 것을 주는 사람.

20,000명을 심리 상담, 코칭 하면서 알게 된 것은 행복 '테이커(Tacker)' 인 사람 70%, 행복 '매처(Matcher)' 인 사람 29% 행복 '기버(Giver)' 인 사람 1%였다.

그래서 행복한 사람을 찾기가 로또 확률(800만 분의 1)만큼 힘들다는 것이다.

주위 사람 중에 행복해 보이는 사람은 많은데 행복한 사람은 없다. 행복해 보이는 사람은 많다? 널렸다? SNS만 보더라도 "아! 나 오늘 행복해 어디 왔어! 이거 먹고 있어!" SNS에 올리는 글 사진들 대부분 90% 사람들이 쇼윈도 행복이라는 거 아는가?

다음은 쇼윈도 행복이 아닌 명품 행복이 무엇인지 깨닫게 해주는 스토리텔링들이다.

SNS가 모두를 불행하게 만든다!

영국의 옥스퍼드 인터넷 연구소는 10세부터 80세까지 8만 4,011명의 영국인을 대상으로 소셜 미디어와 삶의 만족도의 상관관계를 조사한 연구 논문을 과학 전문지 네이처 커뮤니케이션즈에 발표했다. 전 연령대에 걸쳐 소셜 미디어 사용이 많을수록 만족도가 떨어졌고 특히 어린 10대 청소년이 가장 뚜렷한 영향을 받는 것으로 확인됐다. 소셜 미디어 사용량 증가와 삶의 만족도 하락 상관관계는 모든 연령대에서 확인됐다. 10대 수준은 아니지만 모든 연령대 성인에게서 사용량이 증가할수록 삶의 만족도는 급감했다. 이 연구는 소셜 미디어의 좋고 나쁨이 아닌 어떻게 사용하는가에 대한 것이다. 연구 결과에서 볼 수 있듯 적당한 사용은 삶의 만족도를 높여준다.

<얼리어답터 뉴스에디터>

행복 기버(Giver)의 태도, 마인드!

넉넉해야 나누는 게 아니다. 나누니까 넉넉해진다. 여유가 있어야 주는 게 아니다. 주니까 여유가 생긴다. 시간이 나서 도와주는 게 아니다. 도와주려고 시간을 낸다.

행복 기버(Giver)가 듣는 평판!

"저 사람은 내가 도와주고 싶게 만들어."

"저 사람은 내가 좋은 사람이 되고 싶도록 만들어."

"다른 사람은 안 돼도 저 사람은 잘 됐으면 좋겠다."

"저 사람이 필요한 게 뭘까?"

"저 사람이 뭔가 부탁하면 무조건 OK"

행복 기버(Giver)는 행복 마스터키를 가지고 있는 사람이다. 세상에서 유일하게 행복 마스터키를 제작하는 사람은 최보규 방탄자기계발 전문가다. 나다운 행복 마스터키 만들어 주겠다.

《행복히어로》

똑똑한 호구가 성공하는 이유

"큰 성공을 이룬 사람들에게는 세 가지 공통점이 있습니다" '능력, 성취동기, 기회' 그리고 여기에는 대단히 중요하지만 간과하고 있는 네 번째 요소가 있습니다.

바로 '타인과의 상호작용'이죠 우리는 누군가를 만날 때마다 알게 모르게 많은 것을 주고받는데, 이때 우리는 보이지 않는 선택을 합니다. '상대방에게 얼마나 받아야 할까?' '나는 얼마나 줘야 할까?'

조직 심리학에 몸담고 있는 저는 둘 중 어느 쪽이 성공에 더 유리한지 연구했고, 세 가지 행동 방식이 있다는 것을 알아냈습니다.

자신이 준 것보다 더 많이 받기를 바라는 '테이커(Tacker)' 받은 만큼 되돌려준다는 상부상조의 '매처(Matcher)' 받은 것과 상관없이 최대한 많은 것을 주려고 하는 '기버(Giver)' 이 세 가지를 기준 삼아 다양한 직무의 사람들을 대상으로 성과도를 측정해보았더니, '기버(Giver)'는 어느 직업군에서든 밑바닥을 차지했습니다. 한국에서는 기버를 '호구'라고 부르더군요. 맞습니다. 경쟁이 치열한 사회에서 남을 지나치게 배려하고, 사람을 너무 쉽게 믿으며, 자신의 불이익을 감수하면서까지 남을 위하는 사람은 호구로 보이는 게 당연하겠죠.

그렇다면 성공 사다리의 꼭대기에는 누가 있었을까요? '내 이익은 내가 챙기자!'라고 외치는 테이커? 공평함을 원칙으로 삼는 매처? 놀랍게도, 성공 사다리의 꼭대기에도 호구들, 즉 '기버(Giver)'들이 가장 많았습니다. 꼴찌뿐 아니라 최고가 될 가능성까지 겸비한 이들이 바로 기버라는 것이죠.

무엇이 그들을 성공 사다리의 꼭대기와 밑바닥으로 나눈 걸까요? 그리고 성공한 기버들은 나머지 유형들과 무엇이 달랐을까요?

첫째로, 기버들이 가장 강력한 힘을 발휘하는 순간은 '인간관계에 접근하는 방식'에 있었습니다.

테이커와 매처도 인간관계에서 무언가를 베풀지만 그들
은 베푼 만큼 돌려받거나 혹은 그 이상을 기대합니다.
인맥을 쌓을 때 가까운 미래에 자신을 도와줄 만한 사
람에게 전략적으로 집중하는 거죠.
이러한 방식은 장기적으로 두 가지 위험을 안고 있습니
다. 첫 번째, 호의를 받은 사람은 결국 자신이 조종당했
다고 느끼기 쉽다는 것입니다.
인간관계가 일종의 거래처럼 여겨지는 순간, 진심 어린
관계는 무너지게 되죠.
두 번째, 항상 보답을 기대하며 도와주기 때문에 자신과
별로 관계가 없는 사람은 선을 긋습니다.
장기적으로 그들의 인맥은 좁아지게 되죠. 반면 기버들
은 대가 없는 베풂을 선호합니다.
한 번이라도 도움을 받은 사람들은 최고의 자산으로 남
게 되죠. 그 이유는 약한 유대관계에 있습니다.

얼굴만 알거나 소원한 사이 등의 약한 유대관계는 가족
이나 친구와 같은 결속감은 떨어지지만, 그 범위는 훨씬
넓습니다.
그들은 내가 알지 못하는 새로운 관점이나 다른 분야에
접할 기회를 주기도 하는데, 이는 사회생활에 있어 큰
영향을 미치죠. 문제는 약한 유대관계에 있는 사람들에
게 도움을 청하는 것이 쉽지 않다는 데 있습니다.

민폐를 끼치는 건 아닐지, 날 기억 못하는 건 아닌지...
심리적인 방어막이 생기기 때문이죠.

이때, 기버는 돌파구를 찾아냅니다. 그들은 도움이 필요한 상황에서 많은 고민을 하지 않고 그저 다시 연락을 합니다.

이것이 장기적으로 기버가 성공을 거두는 가장 중요한 이유죠. 기버에게 있어 약한 유대 관계란 이전에 한 번 도와주었던 사람이었거나, 도와준 사람의 친구로 엮여 있기 때문입니다.

사람들은 기버에게 받은 고마움과 감동을 쉽게 잊지 못하기 때문에 장기간 신뢰를 쌓지 않아도, 심지어 몇 년 뒤에 연락해도 반갑게 여기고 기꺼이 도움을 주려 하죠. 다시 말해 기버가 인맥을 쌓는 동기는 무언가를 얻는 것이 아니라 더 주기 위함 임에도 불구하고, 테이커나 매처 보다 잠재적인 대가의 범위가 훨씬 넓다는 것, 이것이 바로 '기버가 성공하는 핵심 이유'입니다.

그렇다면 성공한 기버와 밑바닥 기버의 차이는 과연 무엇이었을까요? 비결은 남들에게 당하지 않고 '더 많이 주는데' 있었습니다.

성공한 기버는 자신의 이익만을 챙기려고 하는 사람에

게 한번은 몰라도 그 이상은 도와주지 않습니다.

반면 실패한 기버는 거절하지 못하고 계속 도와주다가 결국 손해를 보아도 참고 넘어가는 경우가 많죠.

또한 어쩌다 한 번씩 남을 도와주는 기버들은 성과가 낮았지만, 남을 더 자주 돕고 적게 도움을 받는 기버들은 지위는 물론, 생산성이 가장 높게 나타났습니다.

우리가 현명한 기버로서 성공하고 싶다면, 이기적인 이타주의자가 되어야 합니다.

기버를 이용하려 하는 테이커들을 멀리하고, 도와줄 사람들만을 기꺼이 돕는 것입니다.

물론 자신의 일을 하면서 남을 돕는다는 게 어려워 보일 수도 있습니다.

하지만 기버가 되는 길은 생각보다 간단합니다. 타인을 위해 5분 정도만 투자하는 것입니다.

그 투자는 누군가에게 간절한 조언일 수도 있고, 상대방이 모르는 정보일 수도 있으며, 소개를 통해 새로운 기회를 주는 것일 수도 있습니다.

선행 자체에서 오는 행복을 위해 남을 돕다 보면 도움을 받은 사람도 남을 위해 살게 됩니다.

그렇게 시간이 지나면 서로가 서로를 돕는 또 하나의 인맥이 형성되죠.

그러니까 타인의 행복을 위해 삶을 살아가는 호구가 반드시 바보 같은 것만은 아닙니다. 우리는 얼마든지 똑똑한 호구가 되어 성공 사다리의 꼭대기에 오를 수 있으니까요.

지금가지 당신은 테이커, 매처, 기버 중 어떤 삶의 방식을 택하며 살았습니까?
"잊지 마세요"
"지금은 똑똑한 호구들이 세상을 얻는 시대라는 것을요"
<기브앤테이크> <체인지그라운드>

리더여, 당신은 지금 어떤 리더이고 어떤 리더가 되고 싶은가?
자신이 준 것보다 더 많이 받기를 바라는 '테이커(Tacker)리더' 받은 만큼 되돌려준다는 상부상조의 '매처(Matcher)리더' 받은 것과 상관없이 최대한 많은 것을 주려고 하는 '기버(Giver)리더'
앞에서도 말했듯이 똑똑한 호구가 되어야 한다. 현명한 호구가 되어야 한다. 현명한 리더가 되어야 한다는 것이다. 현명한 리더가 되기 위해서는 어떻게 해야 할까? 어떻게 하면 현명한 리더가 될 수 있을까? 세상에 똑똑하고 현명한 리더들은 많고 그 리더들이 말하는 똑똑한 리더, 현명한 리더가 되는 공식들도 영상, 책, 교육...등

어마어마하게 많다. 하지만 그것들은 당신다운 리더십이지 나다운 리더십이 아니기에 오래 지속 할 수가 없다.

나다운 리더십을 만들기 위한 방탄 리더십 3:7공식! 유명한 사람, 인지도 있는 사람들 공식 10개 중 3개 (30%) 벤치마킹과 자신 경험을 통한 시행착오, 대가 지불 인고의 시간 속에서 나다운 리더십 만들기(70%)다.

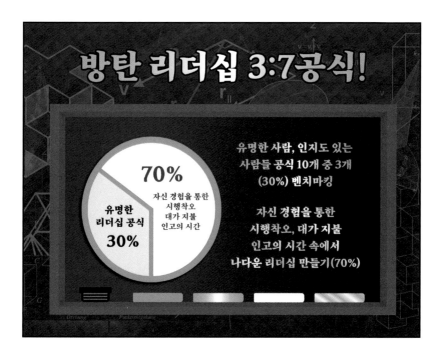

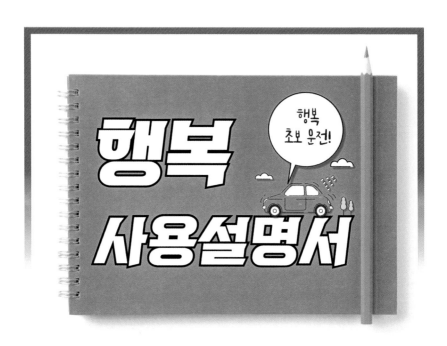

당신이 리더로서 행복하지 않는 이유?

단언컨대!

리더의 행복 학습, 연습, 훈련을
하지 않아서다!

행복은 기다려
주지 않는다!

지금 당장 상담, 코칭 받으세요!
최보규 행복히어로
010-6578-8295

방탄 리더 행복 코칭

✔️ 일시, 시간 ─────────

▶ 수시 모집 (상담)

▶ 13:00 ~ 18:00 (기본 5시간)
 시간 조정 가능!(10H, 15H, 20H)

✔️ 내용 ─────────

1. 리더 행복 초등학생	001강 ~ 010강 (학습, 연습, 훈련)
2. 리더 행복 중학생	011강 ~ 020강 (학습, 연습, 훈련)
3. 리더 행복 고등학생	021강 ~ 030강 (학습, 연습, 훈련)
4. 리더 행복 전문학사	031강 ~ 050강 (학습, 연습, 훈련)
5. 리더 행복 학사	051강 ~ 080강 (학습, 연습, 훈련)
6. 리더 행복 석사	081강 ~ 100강 (학습, 연습, 훈련)
7. 리더 행복 박사	101강 ~ 120강 (학습, 연습, 훈련)
8. 리더 행복 히어로	120강 ~ 135강 (학습, 연습, 훈련)

✔️ 자기계발 비용, 인원 ─────

▶ 비용 상담

▶ 1:1 코칭(온,오프라인)

✔️ 장소, 상담 ─────────

▶ 장소 상담 후 상황에 따라 변동 사항

▶ 한 번의 상담이 인생 터닝포인트
 150년 A/S, 관리, 피드백
 최보규 원장 010-6578-8295

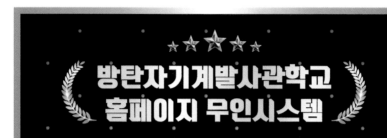

방탄자기계발사관학교 소개
1,000,000원

구매하기

PPT로 책 쓰기, 책 출간
200,000원

구매하기

자신 분야 6가지 수입을 창출 방법
200,000원

구매하기

방탄 사랑 사랑 사용 설명서 사랑도 스펙이다
200,000원

구매하기

★★★★★ 차별이 아닌 초월 혜택 ★★★★★

Google 자기계발아마존	▶YouTube 방탄자기계발	NAVER 방탄동기부여	NAVER 최보규

이코노미 PT

기본 5H : 500,000원

☑ 150년 A/S (세계 최초)

☑ 마스터한 분야 자격증 1종 취득

☑ 방탄자기계발사관학교 강사 위촉

☑ 방탄자기계발사관학교 마스터 위촉

☑ 비지니스 PT 10% 할인
　(10만원 상당)

☑ 퍼스트클래스 PT 10% 할인
　(30만원 상당)

☑ 마스터한 분야 실전 2시간 강의
　교안 제공. (강사료 200만원 상당)

특허청 등록
최보규 자기계발코칭 창시자
등록 번호: 제 40-2072344 호

명품
자기계발

명품
동기부여

★★★★★ **차별이 아닌 초월 시스템** ★★★★★

타사와 비교불가 초월 혜택!
자신 분야 온라인 건물주가 되어 100년 수입 창출!

| Google 자기계발아존 | YouTube 방탄자기계발 | NAVER 강사야 | NAVER 최보규 |

비지니스 PT

기본 5H : 500,000원

CHECK POINT

☑ 기본 1회(2~3일=10H)

☑ 6가지 수입 창출 시스템 실전 훈련

☑ 150년 A/S, 피드백

★★★★★ 차별이 아닌 초월 혜택 ★★★★★

 자기계발아마존  방탄자기계발 방탄동기부여 ㅤ NAVER ㅤ 최보규

비지니스 PT

기본 10H : 1,000,000원

- ☑ 150년 A/S, 피드백
- ☑ 마스터한 분야 자격증 1종 취득
- ☑ 방탄자기계발사관학교 전임 강사 위촉
- ☑ 방탄자기계발사관학교 전임 마스터 위촉
- ☑ 퍼스트클래스 PT 10% 할인
  (30만원 상당)
- ☑ 강사 맞춤 트레이닝 비대면 1회 제공
  (50만원 상당)
- ☑ 마스터한 분야 실전 2시간 강의 교안
  제공, 1:1 맞춤 교안 설명
  (강사료 200만원 / 1:1 맞춤 100만원 상당)

335

336

특허청 등록
최보규 자기계발코칭 창시자
등록 번호: 제 40-2072344 호

★★★★★ **차별이 아닌 초월 혜택** ★★★★★

Google 자기계발아마존   ▶YouTube 방탄자기계발   NAVER 방탄동기부여   NAVER 최보규

퍼스트클래스 PT

기본 15H : 3,000,000원~

- ☑ 150년 A/S, 피드백, VIP맞춤 관리
- ☑ 자격증 3종 취득 (150만원 상당)
- ☑ 방탄자기계발사관학교 지회장 위촉
- ☑ 종이책, 전자책 출간 후 네이버 인물 등록
- ☑ 20H, 30H, 40H, 50H PT 20% 할인
- ☑ 강사 맞춤 트레이닝 대면 1회 제공
  (50만원 상당)
- ☑ 프로필 유튜브 홍보 영상 제작
  (100만원 상당)
- ☑ 마스터한 분야 풀 패키지 (교안 제공,
  1:1 맞춤 교안 설명, 청강 1회 제공)
  (강사료 200만원 / 1:1 맞춤 100만원 /
  청강 1회 200만원 상당)

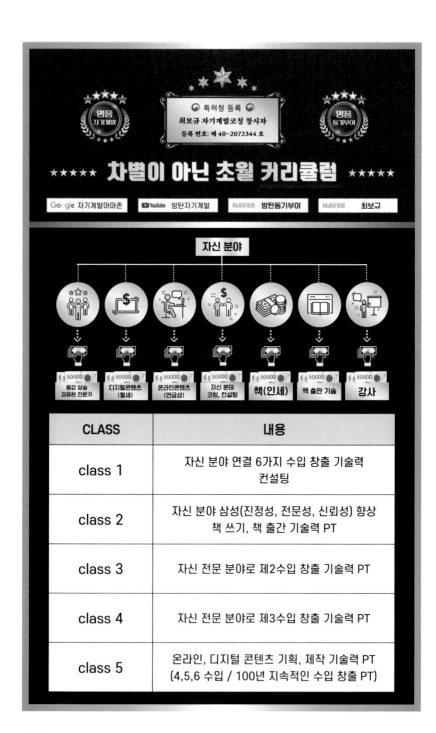

차별이 아닌 초월 커리큘럼

CLASS	내용
class 1	자신 분야 연결 6가지 수입 창출 기술력 컨설팅
class 2	자신 분야 삼성(진정성, 전문성, 신뢰성) 향상 책 쓰기, 책 출간 기술력 PT
class 3	자신 전문 분야로 제2수입 창출 기술력 PT
class 4	자신 전문 분야로 제3수입 창출 기술력 PT
class 5	온라인, 디지털 콘텐츠 기획, 제작 기술력 PT (4,5,6 수입 / 100년 지속적인 수입 창출 PT)

◆ 참고문헌, 출처

《사람을 남겨라》 정동일, 북스톤, 2015

《부하직원이 말하니 않는 31가지 진실》 박태현, 책비, 2021

《처음 리더가 된 당신에게》 박태현, 중앙북스, 2020

<지식백과>

<심리학자 윌리엄 제임스>

<따듯한 하루>

<국어사전>

《습관 66일의 기적》 성기철, 김승, 새앙뿔, 2010

《나다운 방탄습관블록》 최보규, 부크크(Bookk), 2021

<블로그 크행시>

<유튜브 열정에 기름붓기>

《확신》 롭 무어, 다산북스, 2021

<유튜브 책그림>

<네이버 지식백과>

<유튜브 스터디언> 7강 메타인지를 높이는 세 가지 방법 《완벽한 공부법》 고영성, 신영준, 로크미디어, 2017

《당신을 지금 무엇을 생각하는가》 이규성, 라이온북스, 2013

《13+1 기적》 빅 존슨, 유노북스, 2015

<유튜버 제이> <유튜브 제이&리아 클립 저장소>

<유튜브 스터디언>

<송진구 인천재능대 교수>

《1천 개의 성공을 만든 작은 행동의 힘》 존 크럼볼츠, 라이언 바비노, 프롬북스 2014

《리더십의 법칙》 존 맥스웰, 비전과리더십, 2019

《나는 아내와의 결혼을 후회한다》 김정운, 쌤 앤 카터스

《사랑할 때 알아야 할 것들》 김재식, 메가스터디북스, 2015

《1cm art》 김은주, 허밍버드, 2015

《세븐 센스》 정철, 황금가지, 2008

《행복히어로》 최보규, 부크크(Bookk), 2021

<KBS 옥탑방의 문제아들>

<네이버 지식백과>

《내 마음속의 울림》 이창현, 다연, 2014

<플래닛드림>

<최보규 방탄리더십 창시자>

<KBS2 해피투게더 4>

《나다운 강사1》 최보규, 좋은땅, 2019

《마르지 않는 샘》 서민기, 오늘의문학사, 2017

<인사이트 장형인 기자>

<얼리어답터 뉴스에디터>

《기브앤테이크》 애덤 그랜트, 생각연구소, 2013

<체인지그라운드>

방탄리더사관학교 5

(방탄 리더 인재 양성 사관학교)

발 행 | 2024년 04월 25일

저 자 | 최보규, 서윤희

편 집 | 최보규, 서윤희

디자인 | 최보규, 서윤희

마케팅 | 최보규

펴낸이 | 한건희

펴낸곳 | 주식회사 부크크

출판사등록 | 2014.07.15.(제2014-16호)

주 소 | 서울특별시 금천구 가산디지털1로 119 SK트윈타워 A동 305호

전 화 | 1670-8316

이메일 | info@bookk.co.kr

ISBN | 979-11-410-8154-6

www.bookk.co.kr